Je me souviens

Serge ULESKI

Work in progress par définition, et puis, par nécessité… sinon par nature, ce **"Je me souviens"** puisqu'on n'en finit jamais de se souvenir comme on ne cesse jamais d'oublier.

Dans la première partie de cet ouvrage, et dans une certaine mesure, l'esprit de mes "Je me souviens" s'inspirera des "Je me souviens" de Georges Perec ; lequel s'est inspiré des "I remember" de Joe Brainard ; et à son sujet, aujourd'hui encore, nul ne sait de qui il s'est inspiré pour écrire ses "I remember", l'auteur n'ayant pas souhaité nous confier quoi que ce soit à ce propos.

En revanche, dans la deuxième partie c'est de... demain dont je tenterai de me souvenir, de demain... dans... disons 50 ou 100 ans, et au-delà même.

Quant à savoir si ma tentative aura pour but de
"*retrouver un souvenir presque oublié... commun, sinon à tous,
du moins à beaucoup*"... comme il s'agira de "demain",
on comprendra aisément que cette section s'adresse en
priorité à des lecteurs qui ont une *très bonne mémoire de
l'avenir* : pas du leur mais de l'avenir de ceux qui les
suivront et qu'ils auront - par voie de conséquence -,
précédés de peu mais suffisamment pour qu'ils les
considèrent déjà - tous ces suiveurs -, comme leurs
successeurs.

Je me souviens de la

« Traction Avant » de mon grand-père.

Je me souviens de la salle de cinéma Michel Gabieu où j'ai découvert Charlot.

Je me souviens quand j'ai surpris ma mère en train de déposer nos cadeaux au pied du sapin de Noël.

Je me souviens du ton de sa voix quand elle m'a dit : *« Va te recoucher tout de suite ! »*

Je me souviens qu'enfant, je mourais aussi vite que je ressuscitais, et aucun témoin n'était là pour s'en étonner : même pas mes compagnons de jeux.
Je me souviens d'une retraite aux flambeaux sous la

pluie, lampions éteints.

Je me souviens que lorsqu'on jouait aux cowboys, on était impitoyables avec les Indiens.

Je me souviens avoir défilé en aube blanche, un cierge géant à la main sans vraiment comprendre de quoi il était question.

Je me souviens de « *Le ton c'est bon !* »

Je me souviens des repas interminables du dimanche midi ; nous les enfants, on finissait toujours par quitter la table ; et seul le dessert nous y ramenait.

Je me souviens de « *J'ai descendu dans mon jardin (bis)/Pour y cueillir du romarin/Gentil coquelicot Mesdames/Gentil coquelicot nouveau.* »

Je me souviens de Steve Mac Queen alias Josh Randall dans *"Au nom de la loi"* et de sa Winchester à canon raccourci.

Je me souviens de ma communion et de ma première montre offerte par mon parrain.

Je me souviens avoir attendu une trentaine d'années la seconde.

Je me souviens du BCG, en rang et en maillot de corps, attendant mon tour. J'ai seulement compris dix ans plus tard qu'il s'agissait du vaccin contre la tuberculose *(on n'explique jamais rien aux enfants ! Ou bien alors, je l'avais oublié)*.

Je me souviens que je me demandais souvent si j'étais le seul à ne jamais pouvoir me souvenir de tous les noms des Sept nains.

Je me souviens n'avoir eu qu'une idée en tête à 8 ans : me mettre hors du monde et y rester.

Je me souviens qu'enfant je rêvais d'arriver au Meccano n°8.

Je me souviens être plus ambitieux que Perec qui dans ses « je me souviens » à lui rêvait seulement d'arriver au Meccano n°6.

Je me souviens d'une époque où le seul exotisme à notre portée était la grande ville la plus proche, une fois par semaine : le mercredi.

Je me souviens de l'huile de foie de morue et du vermifuge.

Je me souviens qu'enfant, on n'avait qu'un souci : fuir les corvées de haricots.

Je me souviens avoir regardé différemment le chien et le chat de la maison le jour où l'on m'expliqua que le chien descend du loup et le chat des grands félins prédateurs capables d'un coup de mâchoire de sectionner un bras, une jambe, ou bien de déchirer un corps comme on déchire une feuille de papier à cigarettes.

Je me souviens d'un cantique qui disait : "*Aujourd'hui, je pars dans la vie avec le Seigneur mon ami*".

Je me souviens avoir cru à cette profession de foi.

Je me souviens du chemin de l'école l'estomac noué.

Je me souviens d'un poème intitulé *"Le retour"* de Francis Carco.

Je me souviens de ma très bonne note en récitation grâce à ce poème.

Je me souviens de fautes inavouables qui faisaient de la confession un exercice aussi vain qu'hypocrite.

Je me souviens n'avoir jamais rien collectionné contrairement à Perec qui collectionnait les boîtes d'allumettes et les paquets de cigarettes.

Je me souviens du cirque Pinder, de Roger Lanzac et de Pierre Richard.

Je me souviens de « *Les disparus de Saint-Agil* » de Christian Jaque ; et j'en profite pour saluer Martin.

Je me souviens alors que j'étais enfant-de-cœur d'un *kyrieleison* chanté jusqu'à ce que les larmes me montent aux yeux.

Je me souviens d'Achille Zavatta.

Je me souviens de ma deuxième communion - la très solennelle -, jusqu'à ce qu'on déclare forfait mes parents et moi, puisque cette communion, la dernière avec l'Esprit Saint, me dispensait dorénavant de toute pratique religieuse : le dimanche matin, je recouvrai ma liberté.

Je me souviens que le Meccano n°8 n'existait pas (*Que Perec accepte mes excuses*).

Je me souviens des « *Rois maudits* » (*et ce bien qu'à 12 ans je n'y comprenais pas grand-chose*) et de l'inoubliable Jean Piat dont la prestation demeure, à ma connaissance, aujourd'hui encore, la plus grande performance d'un acteur dans le petit écran.

Je me souviens qu'au Monopoly, riche ou pauvre, gagnant ou perdant, très vite je m'y ennuyais ferme n'ayant pas l'âme d'un propriétaire.

Je me souviens de : « *Colchiques dans les près/Fleurissent, fleurissent/Colchiques dans les près/C'est la fin de l'été.* »

Je me souviens d'Alain Bombard et de sa barbe.

Je me souviens des catcheurs René Ben Chemoul le gentil et Duranton le méchant.

Je me souviens de mon infériorité scolaire et de ma supériorité intellectuelle et son infériorité face à la supériorité de ma bouffonnerie.

Je me souviens de notre chienne Nina qui ne donna jamais naissance aux chiots qu'elle portait, et dont elle ne s'est jamais séparée ; c'est avec eux qu'elle est partie.

Je me souviens des pommes dites *d'amour* qui m'ont longtemps intrigué. Etait-ce à cause de leur taille et de leur couleur ?

Je me souviens de ma déception lorsque pour la première fois j'ai pu y goûter.

Je me souviens de Gérard Lenorman et de ses *Matins d'hiver*.

Je me souviens de nos cris, de nos rires, de nos jeux, de nos bagarres dans la cours d'école à l'heure de la récréation. Nul doute, la joie existait bien alors.

Je me souviens de Sophie pour avoir tenté à maintes reprises de l'embrasser à son corps défendant alors qu'elle avait 13ans et moi, guère plus.

Je me souviens qu'elle est revenue me voir métamorphosée, un an plus tard, bien plus déterminée que moi cette fois.

Je me souviens des juke-box individuels fixés sur le mur tout près des tables et des banquettes.

Je me souviens que j'ai longtemps détesté les pattes au fromage râpé.

Je me souviens qu'à 14 ans, la chose que je craignais le plus au monde, c'est que l'on découvre que j'avais fumé.

Je me souviens d'un dépucelage raté. Non ! pas le mien mais le sien à elle *(Quoique... le mien aussi peut-être... Enfin. Qui sait ? A vérifier donc - s'il est encore temps)*.

13

Je me souviens à 15 ans de la sensation que tout pouvait arriver d'un moment à l'autre : l'avenir était grand ouvert et immense jusqu'au vertige. C'est alors que j'ai fermé les yeux pour ne pas perdre l'équilibre.

Je me souviens du pain-perdu... mais qui ne l'était pas pour tout le monde.

Je me souviens de la mode des bottines aux semelles très épaisses et des pantalons à pattes d'éléphant.

Je me souviens de Nathalie et de son échec scolaire qui nous a séparés. Je me souviens de son humiliation. A 14 ans, c'est sa trousse de maquillage qu'elle serrait très fort contre elle, et non son cartable.

Je me souviens de Frédérique mais… mort de peur car, à 14 ans, elle avait déjà tout ce qu'il fallait et n'avait qu'un désir : me le faire comprendre sans ménagement
(*Frédérique, si tu me lis et s'il n'est pas trop tard, sache que je suis fin prêt maintenant*).

Je me souviens d'une locomotive qui portait le même prénom que ma tante Micheline.

Je me souviens avoir entendu dire que les femmes sont fécondes trois jours dans le mois et que, par conséquent, celles qui tombent souvent enceinte sont celles qui n'ont pas de retenue *(A moins que ce ne soit leurs maris ; mais de ça, personne n'en parlait ; même pas les autres femmes qui jugeaient leurs congénères).*

Je me souviens à quinze ans d'un avenir informe.

Je me souviens de la DS 23 Injection électronique couleur or de préférence *(de ça, Perec n'aurait pas pu s'en souvenir puisque ce modèle n'était pas encore commercialisé au moment où ses « Je me souviens » ont vu le jour).*

Je me souviens du jeu des mille francs et des questions dont je connaissais rarement les réponses.

Je me souviens de la musique du générique de l'émission *Les dossiers de l'écran.*

Je me souviens que j'ai découvert bien des années plus tard qu'il s'agissait d'un extrait d'une des symphonies de Chostakovitch.

Je me souviens d'un immense artiste de scène : Gilbert Bécaud ; sans doute le seul véritable artiste rock français.

Je me souviens d'un footballeur qui portait le nom de Marius Trésor.

Je me souviens de la musique du générique de

l'émission « *Radioscopie* » de Jacques Chancel.
Je me souviens de la 220 SE de chez Mercedes,
modèle 1971 *(de ce modèle-là, Perec aurait pu s'en souvenir
puisqu'il était commercialisé au moment où…)*

Je me souviens de Claude Brasseur dans Vidocq.

Je me souviens haïr la répétition et la routine pour les
regretter, une fois privées d'elles.

Je me souviens avoir découvert Mai 68 plus de dix ans
après tout le monde, et alors que les vétérans de ces
événements l'avaient oublié.

Je me souviens d'une dépossession : mon adolescence.

Je me souviens de la commune Bruay-en-Artois
rebaptisée Bruay-la-Buissière, d'un juge, d'un notaire
et du meurtre d'une jeune fille resté aujourd'hui
encore impuni.

Je me souviens du commissaire Bourrel dans la série
« *Les cinq dernières minutes* ».

Je me souviens trouver le temps long en attendant
qu'elles arrivent *(ces cinq dernières minutes !)*

Je me souviens du *Grand Échiquier* et de Jacques
Chancel à une époque où la télévision savait encore

recevoir ceux qu'elle invitait.

Je me souviens de Jean-Louis Bory

Je me souviens du Parti communiste et de son « *bilan globalement positif* ».

Je me souviens du combat entre Frazier et Mohamed Ali jusque tard dans la nuit.

Je me souviens qu'un ami de ma cousine, Michel, restait toute la journée enfermée avec elle dans sa chambre quand il préparait ses examens : il disait qu'elle l'aidait à se concentrer.

Je me souviens de la marée noire Amoco Cadiz - bottes aux pieds et gants lourds et géant aux mains -, et des galettes bretonnes de mazout.

Je me souviens d'un service militaire obligatoire pour tout le monde sauf pour moi *(Ah ! le piston !)*

Je me souviens d'une époque où acheter un *salon en teck* était une obligation pour quiconque souhaitait faire savoir qu'il avait réussi.

Je me souviens de ne m'être jamais endormi pelotonné près de ma mère qui se serait alors aussi endormi tout contre moi.

Je me souviens de Mireille qui, non contente de donner dans la chansonnette, était mariée à un philosophe, un vrai, nommé Emmanuel Berl.

Je me souviens de *La nausée* à 17 ans après avoir longtemps craint l'ennui et le néant jusqu'au vertige, comme au sommet d'une falaise, le vide en bas.

Je me souviens d'une société que l'on disait libérale et avancée mais dédaigneuse et indifférente aux autres.

Je me souviens de ma première feuille de paie à l'occasion d'un job d'été. Elle s'élevait à 1405,33 francs net.

Je me souviens qu'à une époque l'évolution inéluctable d'une vie dite *"réussie"* passait par la mutation de la province à la région parisienne.

Je me souviens de ma bêtise à 18 ans.

Je me souviens d'une pêche miraculeuse ; une carpe de 17 kilos ; et même si elle fut la première et la dernière car, il y a des *cyprinidés* qu'on devrait s'interdire de déranger.

Je me souviens du temps où les taulards, pour s'évader, lisaient le journal *Libération* même si c'était pour ne pas aller bien loin et pas longtemps... comme ce journal nous le prouvera quelques années plus tard.

Je me souviens des "*Nouveaux philosophes*".

Je me souviens que j'ai très vite regretté les Anciens que je n'avais pas encore lus.

Je me souviens des militants communistes et d'un parti qui avaient la dent dure (à juste titre) mais la compassion sélective et intermittente quand il s'agissait des pays de l'Est.

Je me souviens avoir détesté le calembour qui est à l'humour et à l'esprit ce que les sabots de bois sont aux danseurs de ballet classique ou moderne.

Je me souviens de l'expression : « *On ne fait pas d'omelette sans casser des œufs* ».

Je me souviens que je me suis longtemps demandé s'il n'était pas possible de changer de plat.

Je me souviens d'un rayon hygiène d'un hyper-marché dans lequel, à raison de dix par jour, un an n'aurait pas suffi à essayer toutes les sortes de préservatifs mises en vente.

Je me souviens avoir éprouvé une gêne à l'évocation

de mon enfance par un de mes oncles.
Je me souviens de mon départ en Grande Bretagne
sur un coup de tête comme un coup de dé, et en avoir
pris pour dix ans.

Je me souviens que j'ai plusieurs fois commencé des
manuels de Maths modernes en me disant… *(se reporter
au « Je me souviens » n° 333 de Perec)*.

Je me souviens que….. *échec* est l'anagramme de
….*réussite*… si l'on remplace toutes les lettres du mot
échec par celles de *réussite*.

Je me souviens n'avoir eu pour seul tabac celui des
mégots que je ramassais par terre une fois la nuit
tombée pour que personne ne me voie.

Je me souviens d'un homme, tout simplement... un
des plus intelligents de la seconde moitié du XXe
siècle : Ingmar Bergman.

Je me souviens de femmes qui attendaient et
espéraient tout d'une relation amoureuse.

Je me souviens d'hommes qui eux, n'attendaient ni
n'espéraient rien - du moins, rien qui aurait pu
ressembler aux attentes des femmes -, car, ils étaient
sans illusion sur eux-mêmes.

Je me souviens d'Atmosphères : pièce de musique du compositeur hongrois György Ligeti.

Je me souviens d'un peuple tolérant et humble mais têtu et fort : le Peuple britannique ; et ç'a été pour moi un vrai choc culturel.

Je me souviens de Jean-Luc Godard qui a eu le mérite de chercher et la fâcheuse habitude de tourner même quand il n'avait rien trouvé.

Je me souviens du cantique *"Leaning, leaning, safe and secure from all alarms"* que chante Robert Mitchum dans La nuit du chasseur de Charles Laughton.

Je me souviens avoir été un des rares, sinon le seul de ma génération, à lire jusqu'au bout *"La vie, mode d'emploi"* de qui vous savez.

Je me souviens du *"nouveau roman"* pour, non pas avoir préféré l'ancien, mais ceux que j'allais bientôt écrire. Je me souviens des Nuls qui l'étaient vraiment.

Je me souviens d'une époque où le quotidien Libération était considéré comme une publication quasi révolutionnaire - *Non ! On ne rit pas !*

Je me souviens des Inconnus qui gagnèrent vraiment à

ne pas le rester.

Je me souviens d'anciens trotskistes devenus des publicitaires, des affairistes impénitents et des animateurs de télé plus que complaisants.

Je me souviens d'une force tranquille qui dormait sur ses deux oreilles, sereine et apaisée ; et elle était bien la seule.

Je me souviens d'histoires sur les blondes écrites par des hommes désireux de continuer de déprécier les femmes, en confiant aux brunes le soin de les raconter : rivalité féminine oblige (*Pas mal la manip, non ?*)

Je me souviens des Trente glorieuses ; celles de la génération de Perec.

Je me souviens de « Pli selon pli » de Pierre Boulez.

Je me souviens de la pièce de théâtre Ordet et de Dreyer pour sa version cinématographique.

Je me souviens que je n'ai pas découvert la foi pour autant (*sans rancune Monsieur Dreyer !*)

Je me souviens d'un repas chaud pris à l'armée du salut après une prière feinte.

Je me souviens que j'ai pensé, après un coup d'œil furtif sur mes compagnons d'infortunes, que je n'étais pas encore tombé aussi bas qu'eux.

Je me souviens des Restos du cœur et de mesures provisoires d'un nouveau type : du type de celles que l'on reconduit chaque année.

Je me souviens d'un *droit d'ingérence* qui n'aura été que le droit du plus fort d'intervenir chez le plus faible.

Je me souviens de René Char ; de sa voix surtout.

Je me souviens des Cinq pièces pour orchestre d'Alban Berg.

Je me souviens du refus de s'apitoyer sur le malheur des autres au nom d'un « *chacun sa merde* ».

Je me souviens d'une société dont les protestations d'humeur plus que de volonté, cédaient très vite la place au consentement.

Je me souviens de villes et de zones urbaines qui s'étendaient toujours plus loin dans la campagne.

Je me souviens que de toutes les peurs, celle du SIDA était bien la plus forte.

Je me souviens, non pas de la Nouvelle Vague - parce que bon… ça nous a quand même passé depuis -, mais du film de John Cassavetes : *Une femme sous influence.*

Je me souviens à propos de ce film, de la requête de Gena Rowlands adressée à son père alors que la famille est réunie dans la salle à manger : *"Father ! Can you stand up for me !"* Et son père de se lever… avant de se rasseoir réalisant son erreur puisque sa fille attendait de lui non pas qu'il se lève mais qu'il la soutienne moralement.

Je me souviens de Jean-Edern Hallier.

Je me souviens d'une organisation qui portait le nom d'Action directe pour avoir trouvé leurs actions certes, directes et radicales mais peu efficaces quant aux fins qu'elles étaient supposées servir, à savoir : la révolution prolétarienne.

Je me souviens de Claude Nougaro.

Je me souviens du fils de mon voisin qui piratait sans fin de la musique et des films pour lesquels il n'aurait pas donné un euro.

Je me souviens avoir eu une bien meilleure mémoire

que Perec.

Je me souviens de tout ce que je n'ai pas su ou pu oublier (*se reporter à tous mes je me souviens précédents et à venir*).

Je me souviens que je m'étais dit : « *Si à trente ans je ne suis pas célèbre, je me suicide.* »

Je me souviens qu'à mes trente ans, à ma grande surprise, je me suis offert un sursis de dix ans que j'ai encore prolongé récemment.

Je me souviens d'une émission de télé dans laquelle un animateur demandait à un ancien Premier ministre : *"Est-ce que sucer c'est tromper ?"* et l'ancien Premier ministre ne pas hésiter à répondre.

Je me souviens que l'abrutissement des plus modestes par le divertissement accompagnait désormais l'aliénation par le travail des classes populaires.

Je me souviens de l'an 2000 et de la menace d'un bug informatique qui n'eut jamais lieu.

Je me souviens d'un cinéma perdu pour tout le monde ; des milliers de films dont les scénarios dorment à jamais au fond des tiroirs ou dans l'imaginaire d'auteurs, de réalisateurs, de cinéastes et de producteurs...

Je me souviens d'Erwartung d' Arnold Schoenberg.

Je me souviens d'une route, de véhicules équipés de gyrophares, d'un corps de femme étendu sur la chaussée à moitié recouverte d'une couverture, d'une laisse et de ce qui devait être un chien.

Je me souviens de "*La marche des Beurs*" que l'on aura décidément beaucoup fait marcher.

Je me souviens d'une haine féroce, une haine comme un trou sans forme et sans fond, plus vaste et plus profond que la surface creusée et plus haut que sa propre hauteur, même... vue d'en haut ! Car, avec la haine, on atteint des sommets ! Avec la haine, on se dépasse avant de se surpasser ! Toujours !

Je me souviens de Léo Ferré et de « *Il n'y a plus rien* ».

Je me souviens d'obsessionnels compulsifs de l'écriture qui ne se déplaçaient jamais sans un stylo et un carnet ; leur hantise : se trouver dans l'impossibilité de pouvoir noter une idée, une phrase, un mot ; et de ce fait : les oublier. Plutôt mourir que courir ce risque !

Je me souviens que j'ai longtemps fait partie de ceux-là.

Je me souviens d'une envie à l'approche de Noël : me coucher à la mi-décembre pour ne me réveiller qu'à la mi-janvier.

Je me souviens d'un homme qui, dans le souci de ne pas attirer l'attention, est venu me *demander* à voix basse *une petite pièce.*

Je me souviens que j'étais bien plus embarrassé que lui.

Je me souviens d'un fils de harki âgé de 13 ans chahuteur comme pas deux (et moi tout aussi turbulent que lui), menacer le chef d'établissement d'un CES en ces termes : "*Vous allez voir ! Avec le pétrole, on va tous vous bouffer".* C'était en 1973.

Je me souviens d'un « *Il n'y pas de fatalité. Il n'y a que des causes - toujours les mêmes ! -, qui produisent toujours les mêmes effets.* »

Je me souviens de longues files d'attente, tôt le matin, sous la neige et dans le froid, aux abords de la préfecture de mon département

Je me souviens d'éleveurs qui n'ont pas hésité à nourrir leur bétail avec des aliments carnés.

Je me souviens d'une époque qui considérait toute innovation comme un progrès ; alors que le progrès c'est tout ce qui nous rapproche de la justice.

Je me souviens d'une caste des diplômés et d'enseignants qui n'avait pas de souci à se faire au sujet de l'échec scolaire ; leurs enfants réussissaient toujours et fréquentaient les meilleures écoles car, ils n'oubliaient jamais de les orienter vers les meilleures filières.

Je me souviens d'une entreprise qui avait pour patron des actionnaires à l'autre bout de la planète. Quand on voulait une augmentation, il fallait prendre un avion.

Je me souviens d'un « *Pourquoi ne pas souffrir quand tant de gens souffrent de ne plus souffrir qu'on les mène en bateau, une fois de plus et une fois trop !* »

Je me souviens que je n'ai jamais eu qu'un chez moi : mon enfance.

Je me souviens de journaux qui n'avaient pour seul contenu que des gros titres.

Je me souviens d'entreprises qui, sur Internet, accordaient des bons d'achat à quiconque acceptait de dévoiler son nom, son âge et ses centres d'intérêts.

Je me souviens de parents qui n'avaient pour seules paroles de réconforts à adresser à leurs enfants dépressifs : "*Tu n'es donc pas heureux avec tout ce que tu as ?*"

Je me souviens de villes, de quartiers impossibles à se figurer, et dans lesquels se promener n'avait aucun sens ; quant à y vivre...

Je me souviens d'une époque où l'identité avait pris une importance à la mesure de sa perte.

Je me souviens que l'ADN n'est pas une Association De Naturistes mais la base de toute vie - aussi misérable et inutile soit-elle -, et qu'elle permettra d'écrire la prochaine page de l'histoire de notre espèce.

Je me souviens d'une économie sans visage, sans honneur et sans morale puisque sous le couvert de l'anonymat tout lui était permis.

Je me souviens d'un chef d'état qui avait lu Machiavel en long et en large et qui n'en avait retenu qu'un... "*Comment régaler les petits copains.* " Et heureusement pour nous !

Je me souviens de parents qui parlaient le même langage que leurs enfants adolescents : "*Faut pas se prendre la tête*".

Je me souviens, après l'or noir, de l'or que l'on qualifiait de blanc ; il s'agissait de l'économie du sexe et de la pharmacopée.

Je me souviens qu'à l'annonce du décès de mon frère, c'est une poche d'obscurité qui s'est formée et la vie qui a soufflé une nouvelle bougie.

Je me souviens d'un 21 avril. Et contrairement à ce qui nous a été asséné durant les deux semaines qui ont suivi, le vote du 5 mai ne prenait pas tout son sens mais... le perdait à tout jamais pour des millions d'électeurs de gauche.

Je me souviens d'un dicton : *"Quand le vin est tiré et qu'on l'a bu... imbuvable, c'est la vigne qu'il faut arracher au pied-de-biche avant de la brûler. »*

Je me souviens d'une littérature qui nous a transmis Homère en héritage et qui a poursuivi son petit bonhomme de chemin avec Cervantès, Shakespeare, Diderot, Sade, de Nerval, Poe, Lautréamont, Baudelaire, Rimbaud, Breton, Kafka, Brecht, Beckett, Bernanos, Bataille, Ionesco, René Char, Dario Fo...

Je me souviens d'où l'on vient tous - du moins, la très grande majorité d'entre nous -, faute de pouvoir l'oublier, n'ayant aucune envie d'y retourner (*n'en*

déplaise à ceux qui souhaiteraient nous y renvoyer !)
Je me souviens d'une destination finale, celle d'un monde en fête qui célèbrerait la vie et la réconciliation de tous avec tous, qui avait pour parcours un itinéraire en trompe-l'œil qui se dérobait sans cesse, car cette destination progressait en même temps que le marcheur ; et son avance à elle était gigantesque.

Je me souviens de tout ce dont je ferais bien de ne pas me souvenir de l'avis de mon psy qui m'a toujours fortement déconseillé de me souvenir de quoi que ce soit et de quoi que ce fut ; et même de mon avenir.

Je me souviens d'une industrie du spectacle appelée show-business et pour laquelle l'Art sera toujours, au pire, un accident, au mieux, une exception ; un monde étrange et insolite que ce monde du Business -show où l'activité dite artistique est à l'art et à la culture ce que les soupes populaires sont à la justice sociale et le suffrage universel... à la démocratie : un service minimum entretenu par des donneurs d'ordres qui se gardent bien de manger ce qu'ils servent, d'écouter ce qu'ils produisent... et d'honorer leurs engagements.

Je me souviens de la *Une* d'un journal : "*Nous sommes tous Américains*".

Je me souviens au même moment avoir vainement cherché à m'exprimer en anglais avant de renoncer et

31

de jeter dans la poubelle la plus proche un journal qui n'avait fait que me salir les mains.

Je me souviens d'un ancien taulard qui affirmait à qui voulait l'entendre : « *Dans la prison, pour survivre, mieux vaut avoir de l'argent et des contacts* » ; et son interlocuteur de s'empresser de lui répondre : « *Ben alors ! C'est comme dehors ?!* »

Je me souviens de Proust, auteur que d'aucuns lisent sans fin et sans force et vers lequel on se tourne une fois que l'on a baissé les bras et qu'on s'est juré de ne plus porter aucun livre - à bout de bras, justement ! -, en y cherchant dans cette lecture, sa propre terminaison, prisonnier d'une chambre tombeau ; dernière sépulture de vie en convalescent et agonisant de l'existence.

Je me souviens d'individus capables de faire preuve d'une mobilité à toute épreuve : Paris, Toulouse, Lille, deux ans là, trois ici, quatre ailleurs…en SDF de l'encadrement tel un individu réduit à cette part de son identité la plus faible et la plus fragile qui soit : celle qui ne dépend pas de lui mais des autres et du regard qui sera porté sur son travail et sa motivation.

Je me souviens que lorsqu'on jugeait un crime, c'était la victime qu'on jugeait en premier ; et plus la victime était culturellement étrangère et géographiquement éloignée des juges, plus magnanimes ils étaient quand il s'agissait de punir les coupables.

Je me souviens d'un Le Pen dont le parti était à la politique ce que le film porno est au 7è art : du fantasme, rien que du fantasme !

Je me souviens d'une gauche qui n'a eu de cesse de canaliser et de fédérer le ressentiment des laissés-pour-compte pour mieux s'empresser de l'exploiter à des fins électorales ; et seulement électorales.

Je me souviens d'une urbanité triomphante et d'un environnement carcéral composé de grands projets architecturaux conçus par des génies concentrationnaires appelés architectes.

Je me souviens de Nelson Mandela.

Je me souviens d'une génération qui, pour la première fois dans l'histoire, n'a eu qu'un regret : ne pas appartenir à la génération de leurs parents pour en partager la sécurité et le confort.

Je me souviens d'intellectuels d'un nouveau type, du type qui semblait n'avoir qu'une faculté : questionner les effets tout en prenant soin d'éviter les causes ; ils n'avaient qu'une cible, tous ces intellectuels lâches et sans volonté : les pauvres et les casseurs.

Je me souviens de ma foi inébranlable en mon athéisme : Dieu ne peut pas et ne doit pas exister, et ce... sous aucun prétexte !

Je me souviens d'une ou deux vérités et de celle-ci en particulier : il y a une chose qui ne se mérite pas et qu'on n'achètera pas non plus et qui se donne gracieusement à quiconque souhaite l'acquérir : c'est la juste évaluation des risques que l'on court à vouloir les courir tous ; évaluation à des fins d'anticipation qui nous permet d'entrevoir ce que d'autres s'évertueront à nous cacher aussi longtemps que notre engagement servira, non pas notre intérêt - celui de notre propre existence sur toute une vie -, mais le leur, pour le temps qu'il leur sera donné de nous le confier pour le faire fructifier.

Je me souviens de couples rendus à leur substance première, fortement teintée d'arithmétique et de fiscalité après 15 ans de vie commune : un et un font deux... qui font deux parts.

Je me souviens d'une civilisation qui a fait table rase de son passé. A partir de rien, et pour que personne ne jalouse son voisin, cette civilisation construisit tout ce qui ne l'avait jamais été. Résultat : un no man's land surmonté de miradors en forme de dominos géants à la verticale et à l'horizontal de tous les regards.

Je me souviens d'un féminisme qui a aussi consisté à envoyer à l'usine et dans le tertiaire des millions de femmes pendant que d'autres embrassaient des carrières d'avocat, de journalistes, d'animatrices de télé...

Je me souviens d'une gauche qui ne savait vraiment pas quoi faire *à gauche*, et pour laquelle toutes les raisons étaient bonnes d'aller voir à droite s'il n'y aurait pas quelques honneurs à ramasser, quitte à se baisser -, tellement la gauche auquelle elle appartenait s'emmerdait... à gauche.

Je me souviens d'entreprises qui étaient de véritables déserts relationnels depuis la mise en place des nouveaux outils de gestion de son personnel.

Je me souviens d'un « *mieux vaut une solitude à deux, qu'une solitude à soi, si la solitude doit être notre lot à tous.* »

Je me souviens d'une génération de femmes qui s'est essayée au triptyque famille, couple et travail jusqu'à s'y oublier et s'y noyer : pas de famille et pas de couple mais du travail, encore du travail ; et puis un jour, plus de travail, à quarante cinq ans passés ou bien, plus qu'un travail qui n'est que l'ombre du travail qu'elles auront effectué des années durant et le salaire aussi, après une mise au placard douloureuse.

35

Je me souviens d'une transformation écologique à grande échelle et de la destruction des ressources énergétiques primitives de la planète.

Je me souviens de formes d'architectures urbaines qui condamnaient des millions de gens à la haine de soi et de leur environnement.

Je me souviens d'une entreprise qui avait pour fournisseur ses clients, et pour clients ses fournisseurs. Je me souviens d'une société de consommation arrivée au sommet de sa maturité ; cette société n'avait qu'un seul projet : la marchandisation de tout ce qui peut a priori faire l'objet d'une transaction commerciale ; et une seule préoccupation : la dévalorisation de tout ce qui peut représenter ou prétendre à une valeur autre que marchande.

Je me souviens qu'on m'avait dit qu'un problème avait été résolu alors qu'il ne l'avait pas été : il avait simplement sombré dans les oubliettes de l'information tête en l'air et amnésique.

Je me souviens d'intellectuels qui se sont occupés, leur vie durant, à regarder les peuples monter dans les trains de l'Histoire, restés sur le quai, un rien suffisants et méprisants : *"Ne vous inquiétez pas ; ça leur passera !"* incapables qu'ils étaient de proposer une analyse critique des systèmes qui ont poussé toutes ces populations à prendre tous ces trains.

Je me souviens de slogans publicitaires d'un nouveau type - Pour une compagnie d'assurance, sur une affiche représentant des hordes de sans-abri et un texte d'accroche : "*Soyez prévoyants ! Prévoyez donc le pire pour vous et vos proches !*" - Pour une maison de crédit à la consommation : "*Endette-toi, connard ! On a besoin de ton blé !*" - Une agence de voyage : "*Allez donc jouer les riches dans les pays pauvres ! Bande de fauchés !*" And last but not least, l'industrie automobile : « *Alors, tocard ! Tu la changes quand ta caisse ? Faut-il qu'on t'la brûle ?!* »

Je me souviens d'une société avec laquelle la communion était devenue impossible en dehors des grandes messes imposées par des média intéressés et complaisants.

Je me souviens de villes aussi invivables que les taudis qu'elles avaient remplacés.

Je me souviens d'un label dit « incontournable » : Les 3A. Comprenez : Adulte, apolitique et... abruti ; fruit d'un système qui ne fait appel qu'à l'ouïe et à la vue : l'audio et la vidéo.

Je me souviens d'une société très attachée à l'Egalité dans l'espoir que cette égalité lui ouvre les bonnes portes ; à charge pour les heureux élus, une fois à l'intérieur, de s'empresser de les refermer et de les verrouiller à double tour derrière eux.

Je me souviens de professionnels de l'Art contemporain qui, à défaut d'être des passeurs de culture, se sont contentés d'être les relais serviles d'agences de relations publiques, de créations d'événements, de publicité, de marketing qui sont à la production artistique ce que le film publicitaire, le clip, le design, Disneyland et le parc Astérix sont à l'Art.

Je me souviens avoir compris très vite que le danger de l'insécurité et de l'incertitude est bien plus humain que le confort douillet d'une sécurité sans faille car, c'est bien ce danger-là qui pousse au courage, à l'insolite, au merveilleux et à l'inexplicable : sources d'élévation, d'expansion et d'innovation.

Je me souviens d'un nouvel ordre mondial qui ressemblait comme deux gouttes d'eau à l'ancien : tous les coups étaient permis et le plus fort raflait la mise.

Je me souviens que je me suis fait la réflexion suivante au sujet de la traite négrière et de son traitement par les historiens : « *Si on ne prête qu'aux riches, sachez qu'on ne prête qu'aux victimes civilisées toute l'attention que mérite le crime commis contre elles. Faites d'un peuple civilisé, un peuple d'esclaves et plus grand sera votre crime. Réservez le même sort à*

un peuple jugé primitif et votre crime sera vite oublié ou bien,
minimisé. »

Je me souviens d'un "*Black, Blanc, Beurre*" qui n'avait
pour seule réalité et pertinence que la composition
d'une équipe de foot et des vœux pieux.

Je me souviens d'une idéologie qui n'avait qu'un
précepte : «L'homme n'a de devoirs qu'envers lui-
même !» et plus encore quand il s'agissait de partager
les richesses.

Je me souviens, en revanche, que … lorsqu'il était
question d'*ordre et de sécurité*, là, des devoirs envers nos
semblables tombaient comme s'il en pleuvait.

Je me souviens que ce qui est insupportable est
précisément ce que l'on supporte et qu'on nous
demandera d'endurer.

Je me souviens de téléchargements compulsifs de
musiques et de films par des millions d'internautes ;
pour les écouter et les visionner, une vie entière
n'aurait pas suffi.

Je me souviens d'appareils numériques capables de
nous représenter à l'infini et pour l'éternité : voix,
visages, gestes, lieux, nous tous éternellement vivants
et présents, une fois morts.

Je me souviens de Gorbatchev.

Je me souviens d'un parti écologiste à 4% alors que les questions environnementales étaient en tête des préoccupations des électeurs.

Je me souviens d'un sondage qui a permis à Jeff Koons d'être cité 99 fois et Leonard de Vinci, une seule.

Je me souviens avoir pensé que ce qui nous attire, nous séduit, nous émeut dans tout ce qui touche de près et de loin à hier, est le fait que ce morceau de vie qu'est le passé, est derrière nous. Car... qui nous rappellera que vivre demeure une expérience que l'on préféra toujours avoir derrière soi et non... devant soi ?

Je me souviens d'intellectuels qui, circonstanciels parce que trop occupés par le présent, ont fini, inévitablement par ne penser qu'au passé ; l'avenir et ses bouleversements passant à la trappe.

Je me souviens d'un jeu télévisé au cours duquel une animatrice s'adressait aux participants avec mépris et condescendance ; et même si c'était pour rire, je me souviens que personne ne riait.

Je me souviens d'Aimé Césaire qui était loin de n'être qu'un poète anti-colonialiste même si son œuvre fait partie intégrante du patrimoine politique français.

Je me souviens d'autres slogans publicitaires (eh oui ! encore !) mâtinés d'humour et d'ironie - pour une grande marque de chaussure : *« Marche ou crève ! »* - Pour une grande marque de luminaire : « *Casse-toi, sale pauvre, tu nous fais de l'ombre !* » - Pour une agence d'intérim : « *Un travail chez nous, c'est mieux que... pas de travail du tout !* »

Je me souviens d'un mouvement appelé « Les indigènes de la République » sur le mode de "*s'il n'en reste qu'un, je serai celui-là* ; le discriminé développant une pensée discriminative à l'endroit de son discriminateur, jusqu'au rejet total, retrouvant ses plumes, ses peintures et son maquillage, en bon indigène fier et digne.

Je me souviens d'une femme qui cumulait deux emplois partiels sans pour autant pouvoir assurer ses fins de mois.

Je me souviens d'une époque qui plaçait la sur-valorisation de la compétition au dessus de la coopération.

Je me souviens de l'incompréhension de mon

interlocuteur quand une fois j'ai naïvement tenté de lui expliquer à quel point il était important de ré-apprendre à « sentir » avant d'apprendre à penser. Il est vrai qu'il avait une excuse : il était très très enrhumé ce jour-là.

Je me souviens d'hommes et de femmes qui n'étaient ni du matin, ni du soir, ni du jour, ni de la nuit. Ils étaient, tous ces gens, de l'heure à laquelle ils devaient se lever pour aller gagner leur vie, et puis surtout... celle des autres.

Je me souviens d'une science qui était partout dans l'organisation de l'existence : dans notre nourriture, dans la pénurie, dans l'abondance, dans le chômage, dans la récession, dans la reprise, dans la délinquance, dans les dépressions, dans l'architecture concentrationnaire, le bruit, la pollution...

Je me souviens de français issus de l'immigration nés dans des bidonvilles.

Je me souviens de commissaires d'expositions au service de la dé-culturation et de l'abrutissement des masses laissées sans repères, et auprès desquelles ils auront déconsidéré pour longtemps l'Art contemporain en confondant ce même Art avec l'industrie du divertissement et du luxe.

Je me souviens d'un nuage radioactif dont aucun média n'aura pensé à nous informer ; des média muets pour l'occasion ; média auxquels personne ne demandera des comptes et qui ne nous en rendront pas non plus, même bénévolement.

Je me souviens d'un chantage au racisme afin de taire des vérités dérangeantes.

Je me souviens d'intellectuels qui au moment de la chute du mur de Berlin nous ont affirmé que l'Histoire était arrivée à bon port, qu'il n'y avait pas lieu de s'inquiéter et que tout était pour le mieux dans le meilleur des mondes.

Je me souviens de délinquants de plus en plus jeunes et de tribunaux engorgés qui pratiquaient une justice à l'image des conditions de vie qui avaient vu naître ceux qu'ils se proposaient de juger.

Je me souviens de la fin de l'opposition salariés/patrons et de la fin de conflits dits collectifs. Il n'y avait plus que l'individu et si conflit il y avait, il ne pouvait s'agir que d'un individu seul face à sa hiérarchie.

Je me souviens d'un système éducatif dans lequel, chaque année, des dizaines de milliers d'ados ou de pré-adultes quittaient l'école sans diplôme, sans formation et sans maîtriser l'écrit ou la lecture.

Je me souviens d'adultes qui recevaient pour Noël les mêmes cadeaux que leurs enfants.

Je me souviens d'une société libérée des contraintes du courage et de la solidarité et pour laquelle l'exercice quotidien de la lâcheté avait pris le pas sur tout le reste.

Je me souviens de Paris, ville destinée à ceux qui sont disposés à vivre dans un taudis pendant dix ans, avant de renoncer, épuisés, et d'aller voir en banlieue si ça se fait de trouver un logement décent pour sa famille.

Je me souviens de la fin de la transmission culturelle par les aînés, une même génération faisant dorénavant l'acquisition des connaissances essentielles auprès de ceux de leur âge.

Je me souviens d'États plus pollueurs que la moyenne, dénoncés comme voyous ; pays dits *émergeants* qui émergeaient trop tard semble-t-il : en effet, le modèle de développement qu'ils se proposaient de suivre, et qui aura longtemps été celui des pays développés, était maintenant considéré illégal et *quasi* criminel.

Je me souviens de sinistrés qui dix ans plus tard attendaient encore d'être indemnisés à la hauteur du préjudice qu'ils avaient subi mais qui, bien mal assurés, n'allaient récupérer que des miettes.

Je me souviens d'une recherche expansionniste toujours plus performante et exigeante, porteuse de tous les dangers : le danger de nous laisser sans évidences et sans certitudes.

Je me souviens de centaines d'internautes qui allaient assouvir sur la toile leur besoin d'appartenance communautaire.

Je me souviens du jour où un adolescent insulta un adulte, et cet adulte qui ne connaissait ni l'ado, et l'ado ni l'adulte, baissa la tête sans répliquer.

Je me souviens d'un bilan temporel négatif ; en effet, on avait besoin de plus en plus de temps pour faire fonctionner les appareils destinés à en économiser ; à un tel point, qu'on dépensait plus de temps qu'on en gagnait.

Je me souviens que j'ai longtemps pensé ce qui suit : « *Aujourd'hui, quiconque n'est pas en colère est soit un idiot, soit un escroc, soit un salaud.* »

Je me souviens d'une société obsédée par le sexe ; plus elle en parlait moins elle le pratiquait.

Je me souviens d'un chantage à l'antisémitisme aux

fins de neutraliser toute critique à l'égard d'un Etat qui n'avait de démocratique et de respectable que l'idée que ceux qui le soutenaient bec et ongle s'en faisaient.

Je me souviens d'une époque où l'antiterrorisme n'était que la forme moderne du procès en sorcellerie.

Je me souviens d'une nouvelle révolution sociale : l'ère de l'information et de la communication suite à l'introduction de nouvelles technologies informatiques.

Je me souviens d'une administration pénitentiaire qui avait autant de respect pour les détenus que pour les matons ; les suicides des uns comme des autres se succédaient jour après jour dans l'indignation feinte d'une indifférence quasi générale.

Je me souviens qu'après une attaque terroriste sans précédent, le Président du pays concerné s'est exprimé en ces termes : « *Ne changer rien à vos habitudes, faites comme si de rien n'était et surtout, continuez de consommer afin de ne pas provoquer une récession qui servirait les intérêts de ceux qui veulent nous détruire.*»

Je me souviens de l'enseignement d'une trahison que l'on disait inévitable, et qui prenait toujours pour cible la loyauté ; aussi, le premier qui trahissait avait la certitude d'être épargné par la trahison de l'autre.

Je me souviens d'un discours qui parlait du retour à l'instabilité généralisée et permanente du monde ; il s'agissait de poursuivre sans relâche la liquidation de l'ancien monde et de préparer sans plus attendre, la liquidation de celui de demain, déjà obsolète.

Je me souviens d'une tentative américaine de faire de ses alliés historiques des complices dans la définition qu'en donne le code pénal ; « Article 121-7 : *est complice d'un crime ou d'un délit la personne qui sciemment, par aide ou assistance, en a facilité la préparation ou la consommation. Est également complice la personne qui par don, promesse, menace, ordre, abus d'autorité ou de pouvoir aura provoqué à une infraction ou donné des instructions pour la commettre.* »

Je me souviens d'enfants corvéables à merci livrés aux clients d'une industrie touristique sans scrupules.

Je me souviens d'une intelligence aveugle destructrice de la réalité jusqu'à sa dés-intégration.

Je me souviens d'un système économique qui, ici et ailleurs, n'avait qu'une seule quête : la recherche du seuil de rupture des modes de production et de fonctionnement musculaires et psychiques de l'espèce humaine.

Je me souviens d'un monde devenu *in-sortable*.

Je me souviens de guerres propres servies par des bombes intelligentes aux frappes chirurgicales et aux milliers de morts parmi les civils.

Je me souviens d'hommes et de femmes incapables de se représenter leur mode de vie dans vingt ans : le leur et celui de leurs propres enfants.

Je me souviens de guerres dites "asymétriques" dans lesquelles un mort dans un camp était puni d'une centaine dans le camp d'en face.

Je me souviens d'un « *ce qui ne vous tue pas fait de vous un monstre* ».

Je me souviens d'une information qui n'avait qu'une seule raison d'être : divertir et faire diversion.

Je me souviens que la lutte pour le droit à l'euthanasie avait occulté le droit de vieillir dignement.

Je me souviens de cartels, de mafias, de criminels en col blanc plus puissants que des Etats.

Je me souviens de la disparition d'un monde commun à tous au profit d'une société de l'isolement et de la séparation.

Je me souviens d'un monde où l'ordre marchand était accusé de tous les maux : misère, violence, corruption, gaspillage et pollution : et cet ordre ne montrait aucune crainte face à ces accusations.

Je me souviens d'une industrie pharmaceutique prioritairement occupée dans ses efforts de recherches par la dysfonction érectile et le cancer de la prostate, bien avant le paludisme et le sida, pourtant bien plus ravageurs.

Je me souviens d'un *principe de disjonction* : celui de la philosophie et de la science, aux conséquences nocives.

Je me souviens d'une société qui aura mis près d'un demi-siècle à comprendre que la réduction de la pauvreté par le seul jeu des forces du marché se solderait par un échec, alors que, pour une majorité de quidams non spécialistes, cet échec était couru d'avance.

Je me souviens que d'autres se sont enrichis sur cette idée auquelle ils ont cru le temps de se remplir les poches.

Je me souviens d'une morale friable dans l'eau et soluble dans le sang.

Je me souviens des Tutsis et des Hutus.
Je me souviens de mes insomnies en attendant le
résultat d'un test de dépistage du VIH.

Je me souviens de transactions financières quasi
instantanées, à l'échelle mondiale, et sans limite qui
provoquèrent un bouleversement sans précédent de la
relation entre le capital et le travail.

Je me souviens d'une organisation de l'existence dans
laquelle l'homme se devait de vouloir tout… tout de
suite, non pas pour satisfaire des besoins primordiaux
mais la préséance d'une offre toujours plus pressente
et cupide.

Je me souviens d'industries auxquelles rien ne devait
échapper : l'air, l'eau, les hommes, les femmes, les
vieux, les jeunes, les pauvres et les riches.

Je me souviens de parents qui se demandaient :
"*Comment ce fait-il que ces enfants soient les miens ?*"

Je me souviens d'une société marchande
souverainement barbare, inculte et cynique et qui
n'avait qu'un seul maître : Al Capone.

Je me souviens d'une société dans laquelle plus rien ni
personne *ne faisaient autorité* ; l'usage de moyens

brutaux de coercition avait remplacé une adhésion et un consentement maintenant introuvables.

Je me souviens de l'expression « *A tout malheur, bonheur est bon* », même si ce malheur-là en avait tués plus d'un ; mais... faut croire qu'il ne s'agissait pas des mêmes.

Je me souviens d'un système dans lequel plus l'homme consommait plus il se sentait seul, et plus il se sentait seul plus il consommait.

Je me souviens d'une médecine qui trouvait tout naturel que les hommes aient le cancer de la prostate et les femmes le cancer du sein. Et quand les patients demandaient « pourquoi ça ? », ils n'obtenaient aucune réponse.

Je me souviens d'une société bâtie sur l'opposition entre satisfaction/frustration, plaisir/douleur, liberté/enfermement, saturation/manque ; cette société semblait n'avoir qu'un projet : nous *faire tourner en bourrique*. Et elle y parvenait sans difficulté.

Je me souviens d'un monde dans lequel il n'était plus possible de vivre sans tuer l'autre ou dans le meilleur des cas, sans pourrir irrémédiablement la vie de son voisin avant de ruiner sa vie propre dans une lutte acharnée et cruelle pour une survie qui n'était déjà plus une vie mais un commencement de mort lente et sinistre.

Je me souviens d'un monde qui était le fruit d'une conception exponentielle du développement des connaissances.

Je me souviens d'une femme âgée de 81 ans ; à son enterrement nous étions trois : sa fille, un voisin et moi.

Je me souviens de *soldats-otages* libérés en échange de civils sacrifiés et martyrs. C'était en Bosnie.

Je me souviens du triomphe du "Soft power". Il n'était plus question de soumettre des pays, des nations et des peuples à coups de bombes mais de les affamer.

Je me souviens d'une recherche effrénée du risque zéro, et par voie de conséquence, de la mort de toute relation à l'autre et de la coupure de tous les liens.

Je me souviens de la désintégration des processus de production.

Je me souviens que nous n'avions plus qu'une liberté : consommer…

C'est la rupture...

… entre la chose et le mot, l'idée et son signe qui en est la représentation. Aux uns la description scientifique de la réalité, aux autres, les hypothèses temporairement valides.

Notre monde s'est dilaté. Plus de certitudes sur le monde vécu. Notre existence est spatialement finie, lisse, régulière et uniforme : ses limites sont celles du chaos.

La distinction entre le

temps et l'espace a disparu. Nous sommes revenus à notre point de départ.

Nous existons à jamais comme nous l'avons toujours fait. Impossible d'en réchapper, de s'en extraire : notre existence EST. Un point c'est tout ! Et cette existence, qui avait commencé un jour, avant d'exister depuis toujours, remonte maintenant vers l'avenir avant de descendre dans le passé.

Notre capacité de prévoir le futur est réduite à néant. Plus rien n'arrivera puisque tout peut arriver. Seules sont autorisées les trajectoires possibles et définies comme telles : celles dont nous avons calculé l'intégrale car, nous ne faisons plus de distinctions entre les trajectoires futures et passées du temps.

On n'observe plus, on décide et bientôt, avant même que notre existence ne nous en ait fourni la preuve irréfutable, notre seule réalité sera constituée par des calculs fondés sur une théorie sans observations.

*C*hute des corps...

Compression spatio-temporelle. Anéantissement de l'espace. Chaos d'événements disparates. Toute tentative de localisation réelle est sans objets.

Ce matin, le soleil s'est levé à l'ouest. On prédit déjà qu'il se couchera au sud.

Un bruit infernal est venu du dehors de l'atmosphère ; un bruit sans direction particulière. A la lunette plus rien d'observable. Plus rien de prévisible. C'est l'inertie. La théorie des grands ensembles triomphe et avec elle, l'unification de toutes les forces humaines de l'optimisation.

L'existence s'est immobilisée ; elle ne projette sur l'avenir qu'une ombre elliptique ; les forces magnétiques l'ont désertée et les mathématiciens ne peuvent en rendre compte. Elle n'a plus d'aplomb ni d'horizon. A l'équateur, elle se dérobe.

Tous les calculs le confirment : plus le monde tourne vite plus il enfle. D'aucuns ont évoqué une phase d'expansion et une phase de contraction. On parle d'un effondrement gravitationnel.

A quoi ressemblera notre état final quand toute notre énergie aura été évacuée une fois notre état stationnaire atteint ? Nul ne sait. Néanmoins, on nous affirme que rien n'a été mis en mouvement à une heure et à un jour donnés. Une seule certitude : le temps, quoi qu'il puisse être, n'aura pas de fin ni commencement, ni bords ni frontières. On nous énonce que la cause première de nos maux s'écrit désormais en minuscule puisqu'elle n'est que la somme de causes qui l'ont précédée sans fin dans le passé.

Tantôt on nous demande d'envisager le fait

que tous les degrés d'exactitude se sont effondrés les uns sur les autres. Tantôt, on affirme que le principe d'incertitude est aboli. Aucune prédiction précise n'est plus possible. Aussitôt faite aussitôt contredite. On n'obtient plus qu'un seul résultat : celui que l'on connaît à l'avance. Fin de tous les absolus : absolu de temps, absolu de lieu, absolu d'absolu... sinon plus qu'un seul absolu : celui de la relativité de tout absolu.

Si des événements antérieurs ont bien eu lieu, ils ne pourront plus affecter notre existence. Tous ces événements devront être ignorés puisqu'ils n'auront tout simplement plus aucune conséquence ; sans influence ils sont, sans pouvoir, sans nuisance, sans bienfaits car, tous les matins on fait table rase.

Chaque instant donné est vite repris l'instant d'après. Tout n'est qu'hypothèse provisoire. Plus rien ne sera prouvé. Toutes les théories les plus récentes qui n'étaient que l'extension des théories précédentes ne s'accordent plus avec la réalité. Plus rien de reconductible. Tout est réfutable : notre existence même. On ne corrobore plus : on suppute.

Désormais, la peur est l'élément fondamental qui constitue notre matière. La confiance décroît. Plus rien de confortable. Plus aucune observation ne s'inscrit dans un cadre : hors champ, nous sommes !

Mais... voici que l'objectif s'affole. Il cherche, traque, avance, recule ! Contre-plongée vaine et pathétique ! Fondu au noir ! Réalité translucide jusqu'à disparaître.

Tout est scindé, morcelé en vingt, en cent, en mille milliards. De la grande échelle à l'échelle réduite à l'extrême, un cantique résonne, mécanique et bien qu'il lui reste un long chemin à parcourir, son onde se propage et menace tout ce qui résiste à son amplitude et à sa tonalité.

Qui nous fournira une théorie unique de l'existence, l'ultime but ?

C'est un fait irréfutable !

La gravitation n'agit plus. Nouveaux dispositifs d'orientation. Fluidification. Toutes les lois de notre maigre existence s'effondrent. Plus rien ne semble là où nous le voyons. Plus rien ne s'attire. Les forces répulsives ont triomphé. Notre existence est finie et achevée, enfin rationalisée au-delà de toute espérance. Une frontière est établie. C'est la contraction, l'anémie jusqu'au rachitisme. Nous nous sommes éloignés de nous-mêmes à une vitesse gigantesque.

Les effets précèdent les causes.

On nous prédit que bientôt, nous serons capables de nous souvenir du futur avant même d'en avoir gardé en mémoire la trace dans le passé. Nés du chaos, nous en assurons aujourd'hui l'ordre indépassable, à mi-chemin des atomes et des étoiles, à la fois infiniment repliés dans nos êtres et infiniment éloignés de nous-mêmes puisqu'il semblerait qu'il n'y ait pas de limite à notre connaissance de notre propre dissolution dans une humanité sans limites dans l'espace et sans fin dans le temps ; une humanité enfin réconciliée autour d'un projet qui consiste à s'extraire de sa propre humanité.

Notre existence est maintenant libre d'observer un trou noir dans lequel des déductions logiques faites à partir de ce que nous ne voyons pas, pourront être tirées. Captifs, nous nous rapprochons à grands pas de la compréhension des lois qui régissent la non-existence. Une théorie complètement unifiée autour d'un vide sidéral qui bientôt déterminera toutes nos actions s'apprête à aboutir.

Sur une trajectoire rectiligne, dans un espace courbe sans déviation, sur la distance à parcourir, sur la durée, la vitesse... c'est le désaccord.

Et que dire de

nos atomes qui nous constituent et assurent la
stabilité d'un monde au chaos ordonné ?!

                       Le désarçonnement
est complet. Tout est ritualisé : la méthode et le
système. Désynchronisation infra-générationnelle …

                   Descriptions de plus en
plus complexes et de moins en moins rattachées à la
réalité.

                   Malentendus infinis sur cette
réalité extérieure à notre entendement...

            Qu'y avait-il avant ?

          La réponse n'a pas tardé : avant, il y avait la
même chose mais à une vitesse moindre car,
soudain… tout s'est emballé et tout s'est accéléré…

Je me souviens d'un

avenir qui était déjà là, en nous ; et quand il est arrivé, c'était déjà trop tard.

Je me souviens d'un environnement virtuel qui, dans les foyers, dépassait de loin l'environnement naturel.

Je me souviens de programmes audio-visuels capables de changer toute aversion en adoration et *vice versa.*

Je me souviens d'une époque où la seule vraie rareté était le temps : personne ne pouvant l'accumuler, le produire ou bien le vendre.

Je me souviens d'un passé mutant dont le récit était, selon les besoins qu'on en avait, toujours en chantier.

Je me souviens d'un monde qui avait comme étalon pour mesurer sa puissance, non pas l'or mais l'octet... en *tera-octet.*

Je me souviens d'une époque où seule l'efficience militaire, policière, judicaire et psychiatrique importait.

Je me souviens d'un monde où la puissance d'un pays était évaluée en termes de quantité et de qualité disponibles de main d'œuvre corvéable à merci.

Je me souviens d'un ado qui fracassa son ordinateur portable contre le mur de sa chambre avant de s'effondrer en pleurs : sa connexion Internet avait été suspendue. Devenu suicidaire, il fut interné à la demande de ses parents.

Je me souviens que le vieillissement faisant l'objet de recherches assidues dans les centres de gérontologie biologique.

Je me souviens d'une industrie pharmaceutique dont la majeure partie de sa production était tournée vers le contrôle à la fois social et privé des citoyens.

Je me souviens d'un jeu aux gagnants fictifs : quand un gros lot était en jeu, une fois sur deux, on annonçait des gagnants qui n'existaient pas.

Je me souviens d'entreprises qui ne produisaient rien ; elles se contentaient d'accumuler des brevets destinés à la gestion du corps humain.

Je me souviens de psychotropes destinés à contrôler et à soigner l'hyperactivité - syndrome dit de « déficit d'attention ».

Je me souviens de la dépression des enfants de mon voisin qui s'est empressé d'affirmer que les miens n'allaient pas tarder à les imiter.

Je me souviens de méga-cités bidonvilles livrées à une violence aveugle.

Je me souviens d'un contrat de mariage à durée limitée, plus connu sous le sigle CMDL, pour contrer l'augmentation exponentielle des divorces.

Je me souviens de l'espionnage d'ordinateurs connectés et non connectés de personnes privées à des fins de les manipuler.

Je me souviens d'un négationnisme d'un nouveau type : le déni du réel.

Je me souviens que seul un rapport à l'autre purement utilitaire était encouragé et cité en exemple.

Je me souviens d'une médecine entièrement dédiée à la prédiction de la disposition aux maladies ; nous tous étions livrés à sa maîtrise génétique et à la possibilité *in utérus* d'un diagnostic avant même la naissance ; ce qui, soit dit en passant, ne nous empêchait pas de mourir.

Je me souviens de simples usagers d'Internet capables de créer leur propre page pornographique qui leur ouvrait les portes du cybermarché de l'industrie du sexe.

Je me souviens d'un 5è pouvoir : celui des hackers de disques durs.

Je me souviens d'un réseau de plus de trois mille satellites en orbite, et d'une humanité qui, tout entière, en dépendait quotidiennement.

Je me souviens de ma terreur face à mes propres enfants, confronté à leurs exigences et à leurs droits.

Je me souviens d'une époque où le moindre désir de puissance trouvait son accomplissement en toute impunité.

Je me souviens d'armes redoutables destinées à combattre une information libre. Elles avaient pour noms : argent, propagande, communication et intimidation.

Je me souviens de l'abandon progressif des notions de sujet et d'objet, de naturel et d'artificiel, de réel et de virtuel au nom d'une politique globale de gestion purement technologique de la vie et de la mort.

Je me souviens du sort funeste qui attendait des millions de candidats à l'exode économique et environnemental : sur nos écrans, ils formaient d'innombrables petites taches grises à la dérive sur les océans.

Je me souviens à quel point le passé n'était plus qu'une probabilité pour nombre de mes concitoyens. J'avais beau leur en parler... rien, non rien ne semblait les toucher.

Je me souviens d'une amende pour avoir adressé la parole en public à un inconnu qui s'en est tout de suite plaint à un agent dit « de la sécurité publique ».

Je me souviens de corps dédiés à la GPA (Gestation Pour Autrui) ; des femmes pauvres de tous les continents engagées dans une mise à disposition de leur corps et de leurs organes 24h/24, grossesse après grossesse jusqu'à l'épuisement.

Je me souviens d'une étude qui concluait à la recrudescence de la prostitution chez les femmes et les hommes de 15 à 25 ans et de 40 à 55 ans dans les milieux populaires et les classes moyennes.

Je me souviens d'un monde où la recherche, l'acquisition et la diffusion de l'information étaient assurées par des individus sans identité capables à tout moment grâce à leur maîtrise de l'informatique et des réseaux, de dévoiler la vie privée de quiconque jouissait d'une notoriété dans les domaines politique, économique, social et artistique.

Je me souviens d'arrêtés municipaux qui interdisaient dans les centres villes les voitures, les chiens et pour finir... les êtres humains.

Je me souviens de fumeurs obligés de se cacher pour échapper à la vindicte publique.

Je me souviens d'une nouvelle trinité auquelle un nombre croissant d'hommes et de femmes qui manquaient de temps, vouaient un culte proche du fanatisme : le fast food, le speed dating et la « baise éclair ».

Je me souviens d'enfants pour lesquels leur espace scolaire et leur classe avaient pour environnement : un ordinateur de 20cm sur 10.

Je me souviens d'un programme de recherche qui avait pour but de faire en sorte que l'homme soit à lui tout seul... le père, le fils, la mère, l'œuf, le coq et la poule.

Je me souviens d'un monde dominé par des compagnies d'assurance et des entreprises de l'industrie du divertissement.

Je me souviens que j'ai découvert un jour que tous mes gestes quotidiens imprimaient des marques indélébiles dans des réseaux informatiques inaccessibles ; réseaux capables d'analyser mes pensées, mes hésitations par la réfaction d'infrarouges sur ma rétine.

Je me souviens ce jour-là, être resté figé une journée entière.

Je me souviens de vastes territoires dont les habitants étaient dans l'impossibilité de déterminer si ces mêmes territoires avaient toujours été là, et s'ils avaient toujours été comme ils les voyaient ; et ce bien qu'ils y soient nés.

Je me souviens de scientifiques qui avaient mis au point des ondes dites « de l'agressivité » capables de changer la personnalité d'un individu.

Je me souviens d'une nouvelle technique de manipulation ; elle portait le nom de « harcèlement électromagnétique » plus connu sous le nom de « goulag virtuel » et qui ouvrait la porte à toutes les manipulations mentales et physiques.

Je me souviens de publicités diffusées en temps réel dans ma rue sur des écrans à diodes électroluminescentes ; le matin quand je sortais, les murs affichaient des produits caloriques et le soir, à mon retour, des boissons alcoolisées.

Je me souviens d'une génération de femmes arrivée à la cinquantaine et pour lesquelles seul l'espoir d'un rajeunissement technique pouvait les sauver d'une dépression due à un abandon et à une solitude que l'on disait aussi certains que mortifères.

Je me souviens d'individus dont le corps n'avait d'humain que ce que l'opération de chirurgie esthétique avait pu préserver.

Je me souviens de l'idée qui consistait à supprimer l'enseignement d'une partie de l'histoire des peuples afin de les préparer à gommer de leur mémoire toute idée de nation et de langue.

Je me souviens d'une époque dans laquelle tout « pourquoi » était interdit ; seul le « comment » avait droit de citer.

Je me souviens d'une question : les entreprises ont-elles une âme ? Et la réponse était toujours la même : oui. Et gare à ceux qui en doutaient !
Je me souviens de compagnies d'assurances qui ont

exigé de contrôler les comportements sociaux ainsi que l'établissement des normes sous peine de ne plus couvrir aucun risque.

Je me souviens de la haine des profs face à leurs élèves auprès desquels ils avaient épuisé toute capacité de pardon et de compréhension.

Je me souviens d'un monde dans lequel des Etats dits « modernes et démocratiques » étaient incapables de garantir et de défendre la diffusion d'une information libre.

Je me souviens avoir entendu parler de millions de corps en mutation sur toute la planète ; des corps dits « transgenres » ; des corps instables, incapables de se fixer dans un genre pré-défini.

Je me souviens en avoir fait les frais lorsque mon attention s'était portée sur l'un d'entre eux, et alors qu'il était déjà trop tard.

Je me souviens de violences urbaines qui nécessitaient des interventions non pas policières mais militaires.

Je me souviens d'une compagnie d'assurance qui, après un procès, indemnisait les enfants qui avaient été délaissés par leurs parents.

Je me souviens de l'obligation était faite aux parents de souscrire une assurance dès la naissance ou dès l'adoption d'un premier enfant, et ce afin de couvrir les risques de tels procès.

Je me souviens d'une population privée de ses propres ressources intérieures, et qui avait systématiquement recours à une médecine anti-stress lorsqu'elle était soumise à quelque grande épreuve ou souffrance.

Je me souviens de hordes humaines venues exiger des moyens matériels à leur subsistance et à leur développement.

Je me souviens de millions de vieillards centenaires qui souffraient de démence sénile.

Je me souviens d'une molécule dite médiatrice, à la fois réceptrice et réceptacle, supposée contrôler les structures enchevêtrées des désordres mentaux en corrélation avec leurs propriétés physico-chimiques ; et ce, jusque dans leur dernier retranchement comportemental, psychologique et physique.

Je me souviens que personne n'y comprenait rien, mais on nous affirmait que ça marchait.

Je me souviens d'un monde qui proclamait la suprématie des valeurs religieuses sur les droits de l'homme.

Je me souviens d'armes entièrement et uniquement dédiées à la surveillance des individus, des peuples et des continents.

Je me souviens de formes de vie et d'organisations sociales quasi identiques chez tous les peuples mais qui, faute d'être porteuses de symboles, laissaient intactes leurs croyances irrationnelles, sources de conflits inter-culturels incessants.

Je me souviens d'une science capable de calculer minutieusement les doses de terreur qu'il faut injecter aux populations pour les amener à « *une culpabilité existentielle terrorisante* ».

Je me souviens de guerres en grande partie conduites par des robots comme substituts aux combattants.

Je me souviens d'une rumeur qui parlait d'épidémies déclenchées à volonté contre des armées et des populations civiles.

Je me souviens d'un monde où toutes les religions étaient au cœur de la bataille contre la globalisation du *marché*.

Je me souviens de la « Grande panique » et de son goulet d'étranglement : des millions de vies prises au piège d'une menace infectieuse ; un organisme inconnu menacerait de nous faire disparaître.

Je me souviens que, plus tard, on nous rassura : il s'agissait d'une fausse alerte.

Je me souviens d'un monde où des dizaines de pays étaient dotés d'armes nucléaires et des moyens de s'en servir.

Je me souviens d'une Europe rongée par la peur et l'insécurité ; dans les pays-membres, on y comptait plus d'armes que d'habitants.

Je me souviens d'un matraquage à propos du sexe : moins on le faisait, plus on le montrait.

Je me souviens qu'on prétendait qu'un verre d'eau bu ici pouvait provoquer à l'autre bout de la terre une sécheresse capable de coûter la vie à des milliers d'êtres humains. Grande était alors la tentation de ne plus boire un seul verre d'eau, même si cette résolution n'a duré qu'un temps : le temps d'avoir soif.

Je me souviens d'un nouveau type de profil : le profil génétique capable de déterminer les risques de cancer et celui d'un nombre infini de maladies.

Je me souviens d'un monde à la solitude insondable.

Je me souviens que la grande majorité des rencontres et des unions (même temporaires) avait lieu à la suite d'un questionnaire rempli sur un site Internet spécialisé dans la recherche de partenaires.

Je me souviens d'idoles planétaires qui avaient supplanté les politiciens et les chefs d'états.

Je me souviens d'enjeux énergétiques capables de dessiner la géopolitique pour des générations futures.

Je me souviens d'un chercheur qui prétendait être capable de prédire les actes d'une personne ainsi que ses choix, en observant l'activation de ses circuits neuronaux grâce à l'imagerie pour résonance magnétique fonctionnelle (IRMF) : de là est né le neuromarketing, nous précise-t-on ; et alors qu'on n'avait rien demandé.

Je me souviens que les découvertes vertigineuses des sciences et les formidables progrès techniques n'avaient pas permis au plus grand nombre de vivre mieux.

Je me souviens que l'immobilisme et la sédentarisation étaient le mal absolu : peu importe d'où l'on venait : il fallait à tout prix l'oublier, ne pas y rester et encore moins y revenir.

Je me souviens d'un monde où la forme extrême de l'obéissance portait le nom d'*auto-contrôle*.

Je me souviens que l'obligation de faire connaître son état de santé ne souffrait ni dérogation ni exception.

Je me souviens d'un nombre croissant d'individus qui, sous le couvert de l'anonymat, se vantaient de n'avoir aucun devoir envers les autres.

Je me souviens de la disparition de la fonction parentale qu'elle soit maternelle ou paternelle.

Je me souviens d'un médicament qui permettait de rester vigilant 20 jours d'affilée.

Je me souviens qu'à ce propos, on se gardait bien de nous préciser : nombreux sont ceux qui mouraient épuisés.

Je me souviens de tensions et de chocs dévastateurs destinés à s'assurer les nouvelles ressources d'énergie disponibles.

Je me souviens d'une société dont la fuite vers le divertissement n'avait qu'un but : se protéger de la précarité de sa condition.

Je me souviens d'une branche de la société de consommation basée sur l'association « molécule et production virtuelle audiovisuelle » capable de contrôler les désirs et les affects de l'espèce humaine.

Je me souviens d'un slogan qui disait : « *A défaut de pouvoir changer le monde, changeons notre corps !* »

Je me souviens d'une revendication en faveur du droit par chacun d'épouser l'identité de son choix avant d'en changer pour celle d'un autre ; elle-même remplacée par d'autres encore, et ce à l'infini.

Je me souviens d'une absente totale de limite en matière de collecte d'informations.

Je me souviens de commissions dites de « *défense de la vie privée et de la liberté* » à hurler de rire. Et on ne s'en privait pas. Du moins, quand on pouvait encore le faire.

Je me souviens de machines qui permettaient la traduction orale et simultanée de n'importe quelle langue.

Je me souviens d'univers virtuels à la multiplication exponentielle, et qui occupaient plus de la moitié du temps libre d'un tiers des habitants de la planète.

Je me souviens du retour de la guerre en Europe suite à la domination économique de l'Asie et la paupérisation des pays industrialisés de cette même Europe étendue à la Russie et à la Turquie.

Je me souviens d'un monde aux familles à l'abandon.

Je me souviens d'êtres humains qui n'avaient plus qu'un destin biologique.

Je me souviens de nouvelles matières premières inépuisables ; elles avaient pour noms : savoir et information.

Je me souviens d'une nouvelle ère de concurrence énergétique féroce et impitoyable. Les plus forts n'hésitaient pas à recourir au chantage pour dominer les plus faibles.

Je me souviens de centaines de millions de *citoyens du monde,* tous capables de parler cinq langues et de n'en maîtriser aucune.

Je me souviens d'adolescents élevés en autarcie qui n'avaient pratiquement plus de points de repères extérieurs auxquels se référer.

Je me souviens d'une organisation de l'existence capable d'affirmer que des événements longtemps considérés comme historiques n'avaient jamais eu lieu.

Je me souviens d'une police de la pensée qui n'avait qu'une ambition : ré-introduire le sophisme « *Quiconque n'a rien à se reprocher n'a rien à craindre* ». Et nombreux sont ceux qui y souscrivaient.

Je me souviens de progrès techniques qui faisaient qu'un ingénieur en électronique devait passer 3 jours sur 5 à se former car, ce qu'on appelait « sa rente de savoir » avait une validité d'un mois.

Je me souviens que la durée d'enneigement dans les stations de ski était réduite à quinze jours par an. Neuf stations sur dix avaient recours à de la neige artificielle.

Je me souviens d'un homme qui, lorsqu'il assouvissait une envie, ne faisait que répondre à son insu à des exigences fixées par des normes de vie en société et de consommation dont il n'avait même pas conscience. Et cet homme, c'était moi !

Je me souviens de machines avec lesquelles on pouvait oralement communiquer *(et même à des fins sexuelles comme nous le verrons plus tard)*.

Je me souviens d'un déferlement d'informations destiné à exercer sur le plus grand nombre une pression psychologique qui confinait presque à une technique de l'ahurissement : il n'est alors plus possible de penser en dehors de ce déferlement de tous les instants.

Je me souviens d'une élite financière et commerciale mobile et médiatique qui tirait les ficelles d'une nouvelle répartition des classes sociales. A titre d'exemple, moi-même, j'avais un niveau d'éducation de classe supérieure, un revenu de classe moyenne et des conditions de vie de classe populaire.

Je me souviens d'une communauté qui, confrontée à ce qu'elle nommait « *l'horreur de notre monde dans toute son horreur* », décida de ne plus lui résister en faisant le choix du sacrifice, et ce dans l'espoir d'y mettre fin car, dans leur esprit, survivre à cette horreur, c'était accepter qu'elle les frappe à nouveau sans discernement jusqu'à signifier la fin de l'espèce humaine dans sa totalité.

Je me souviens d'une mémoire privée d'imagination qui s'était rétrécie jusqu'au méconnaissable ; d'aucuns avaient semble-t-il préféré tout oublier, pour ne rien regretter de ce qui devait faire d'eux des êtres de croissance.

Je me souviens d'une époque dans laquelle les drogues dites récréatives avaient remplacé le divertissement.

Je me souviens que le vieillissement concernait un tiers du budget de la recherche médicale.

Je me souviens d'un système dans lequel toute décision majoritaire susceptible d'être défavorable aux nantis était soustraite au vote et prise sans consentement.

Je me souviens d'un gâchis environnemental sans précédent provoqué par la production de carburants non conventionnels.

Je me souviens de territoires immenses interdits aux humains tant l'air y était devenu irrespirable.

Je me souviens d'un diagnostic prénatal qui avait pour objet la détection intra-utérine de bébés susceptibles de développer des comportements à caractère anti-social.

Je me souviens d'un SMS envoyé par mon congélateur pour me rappeler de le réapprovisionner en légumes verts.

Je me souviens que je lui ai répondu : « T'occupes !»

Je me souviens d'un monde dans lequel 50% des emplois de demain n'existaient pas encore ni la main d'œuvre censée les occuper.

Je me souviens d'une idéologie appelée « Métissage collectif » qui avait pour fin l'abolition de toutes les différences entre les êtres humains.

Je me souviens de cellules dites sédentaires qui portaient les noms de famille, couple, amis, foyer, avant l'éclatement, le dénuement et l'isolement de pans entiers de la société.

Je me souviens d'une promesse d'élargissement de l'horizon des possibilités humaines et de la peur panique de manquer quelque chose avec pour conséquence : l'impossibilité d'habiter pleinement et sereinement le monde.

Je me souviens de villes plongées dans l'obscurité par mesure d'économie d'énergie.

Je me souviens de mes goûts personnels ; dans 80% des cas, on les avait choisis à ma place ; ce qui m'avait soulagé du fardeau de la responsabilité de devoir choisir et de décider pour et par moi-même ;

Je me souviens que cela tombait plutôt bien puisque, comme des millions d'autres, je n'en étais plus capable.

Je me souviens d'un voisin chargé par une autorité sans visage de vérifier ma conformité aux normes établies par une autre autorité tout aussi anonyme. Une fois, j'ai essayé de rembarrer ce même voisin envahissant mais... une fois seulement.

Je me souviens d'une population active composée pour 35% de travailleurs à domicile.

Je me souviens que l'on nous affirmait qu'un quart de l'humanité était affectée par l'obésité.

Je me souviens de caméras, de capteurs miniatures placés dans tous les lieux et publics et privés : nous étions tous des stars de petits, de tout petits écrans.

Je me souviens d'une société qui avait réduit de deux tiers sa population carcérale grâce aux techniques de surveillance à distance.

Je me souviens d'incessantes chasses à l'homme dans les rues devant des passants ébahis et parfois, amusés : poursuites qui concernaient la police et des milliers de détenus débarrassés de leur bracelet électronique.

Je me souviens d'une obligation de consommer *tant par an* des biens et des services en fonction de ses revenus ; faute de quoi, on était surtaxés.

Je me souviens qu'une amie très proche avait produit chez elle, grâce à des prothèses bioniques branchées sur son cerveau, des images mentales qui ont fait de moi, pour un instant, et tour à tour : un singe, un robot, une femme, un monstre et un enfant.

Je me souviens de mercenaires sous-traitants, de polices et d'armées au service de gouvernements qui ne respectaient aucune règle : emprisonnements arbitraires, tortures, meurtres.

Je me souviens que plus personne n'attendait quoi que ce soit de la globalisation et de la démocratie de marché qui n'avaient supprimé ni la précarité ni la pauvreté.

Je me souviens d'Etats dans l'obligation de reconquérir, isolément ou régionalement, une partie de leur souveraineté économique pour lutter contre la généralisation du travail précaire contrôlé par des mafias à la fois économique, militaire et religieuse.

Je me souviens de comités qui avaient pour principale fonction : éditer des règles et des normes applicables à tous sans qu'aucune instance démocratique n'ait été consultée à l'échelon national, régional et mondial.

Je me souviens de la résurgence de maladies que l'on croyait disparues : peste, choléra, rage.

Je me souviens de militaires à la retraite qui avaient fait fortune en vendant les organes prélevés sur ceux qu'ils avaient exécutés.

Je me souviens de la Russie renommée Sainte-Russie.

Je me souviens d'une époque où le rôle reproductif de la sexualité avait disparu au profit d'une maternité artificielle.

Je me souviens de couples hétérosexuels éternellement jeunes : elle, très femme et très sexuée mais totalement infertile ; lui, beau et musclé mais stérile ; ses érections dépendaient de la consommation de produits de substitutions synthétiques.

Je me souviens d'un courriel récurrent qui proposait de vivre des aventures extrêmes et des expériences virtuelles qui pouvaient aller jusqu'à simuler le meurtre et sa propre mort.

Je me souviens d'une nouvelle mesure biométrique d'identification : la cartographie veineuse des veines de la paume.

Je me souviens d'un slogan publicitaire : « *Continuez de consommer tout en dormant.* »

Je me souviens que les insomniaques n'étaient pas concernés par cette invitation.

Je me souviens d'une population mondiale dans laquelle les centenaires étaient légion.

Je me souviens d'une organisation de la société dans laquelle jouer, travailler, dormir, consommer, se soigner n'avait ni début ni fin

Je me souviens d'un G.C.A (Grande Communauté Américaine) qui s'étendait de l'Alaska à la Terre de Feu avant son démantèlement et une guerre qui dura plus de trente ans entre le Nord et le Sud du continent.

Je me souviens d'un programme sensé compenser chez certains individus, la perte de leur *sur-moi* ; il portait le nom de *bio-surveillance et culpabilisation.*

Je me souviens de l'augmentation nette de la fréquence de vagues de chaleur et de cyclones ; typhons et ouragans compris.

Je me souviens que tout le monde s'accordait à penser que la « mutation germinale » était une bonne chose, même si personne n'était capable d'expliquer pourquoi.

Je me souviens d'Internautes compulsifs par millions qui n'avaient pas rencontré physiquement qui que ce soit depuis cinq ans.

Je vous souviens d'une loi qui autorisait les parents qui ne souhaitaient plus élever leurs enfants, à les confier à des institutions privées qui se chargeraient de les accompagner jusqu'à l'âge adulte moyennant le versement d'une pension.

Je me souviens m'être adressé à une de ces institutions qui a refusé ma demande faute de revenus suffisants.

Je me souviens d'armées puissantes transnationales constituées uniquement de mercenaires sans nationalité.

Je me souviens d'une compétition sociale organisée autour du gène : gène du talent, gène de l'intelligence… gène de l'aptitude au sport, gène du conformisme…

Je me souviens d'un nombre croissant de familles sans base géographique ni culturelle qui ne se reconnaissaient aucune allégeance.

Je me souviens du réveil des nations et de la prolifération des Etats. Moi-même, j'ai bien failli créer le mien.

Je me souviens d'une homogénéisation du monde autour d'un mode de vie et de pensée universel qui avait pour unique référence l'émotion médiatique.

Je me souviens d'une génération hypocondriaque, paranoïde, mégalomane, narcissique et égocentrique.

Je me souviens que j'ai bien cru un moment en faire partie ; mais après une étude de cas approfondie, cette crainte s'est avérée non fondée.

Je me souviens de greffes partielles du cerveau et du bouleversement de l'idée qu'on se faisait de l'homme.

Je me souviens d'une société qui réclamait de plus en plus de protection jusqu'à l'extinction progressive des libertés individuelles.

Je me souviens d'un ami qui, dans l'espoir de vivre deux fois plus longtemps que la moyenne, a tout sacrifié à tous les remèdes et à toutes les recettes jusqu'à la ruine.

Je me souviens de l'égalisation intégrale de la condition adulte-enfant ; tout ce qui était interdit à l'enfant l'était à l'adulte.

Je me souviens d'un monde au-delà de la fin, un monde sans plus de fonctionnalité.

Je me souviens d'espaces auto et inter-organisés par zones d'espaces géostratégiques mondiales à l'insécurité dite latente et protéiforme.

Je me souviens avoir demandé un complément d'information à ce sujet ; et la réponse fut la suivante : « C'est pas tes oignons ! ».

Je me souviens de l'entrée triomphale de l'anthropologie politique et de la génétique et du concept de *l'homme libre et responsable* qui n'avait plus qu'une seule origine : lui-même comme début et comme fin. Et seule la science était autorisée à se pencher sur son berceau.

Je me souviens d'un archipel de clôtures, de barbelés et d'îles entièrement dédiés à la débauche, à la violence et parfois même, pour les plus fortunés, au meurtre, en toute légalité.

Je me souviens d'un excès de *bien* entretenu jusqu'au *mal*.

Je me souviens avoir divorcé le jour où j'ai compris que ma femme me trompait depuis notre domicile conjugal ; en effet, elle communiquait avec son amant grâce à un implant électronique placé dans son cortex ; c'est un cri à peine étouffé qui la trahit ce jour-là : elle venait en la compagnie toute virtuelle de son amant, d'avoir un orgasme bien réel.

Je me souviens d'une société dans laquelle aucun âge limite de la retraite n'était défini.

Je me souviens du rattachement des provinces anglophones canadiennes aux Etats-Unis ; eux-mêmes rattachés à l'Amérique centrale et une partie de l'Amérique du Sud.

Je me souviens d'un programme de recherche qui avait pour objet l'implantation d'un embryon à l'intérieur d'un corps d'homme - *homme* au masculin !

Je me souviens de la disparition des espaces et des lieux ; on était *de nulle part* ; simplement de là où l'on se trouvait pour un temps déterminé.

Je me souviens d'une étude commandée par le tout nouveau ministère mondial de la santé qui avait pour sujet l'inventaire des micros et des nano-technologies de gestion du corps, de l'identité et de la sexualité ; ces technologies s'élevaient à plus de 100 000.

Je me souviens d'un monde dans lequel tous les *possibles* étaient devenus souhaitables.

Je me souviens d'un exode citadin massif ; des populations entières délaissaient les grandes villes pour les campagnes, sans pour autant être assurées d'y trouver des conditions de vie décentes.

Je me souviens d'une société asexuée : en dehors de leur anatomie respective, plus aucune spécificité ne distinguait un sexe de l'autre, ni leurs comportements, ni leurs modes de raisonnement ni leurs aspirations.

Je me souviens de la disparition des symboles et des mythes au bénéfice de concepts vidés de toute pensée prospective.

Je me souviens de millions d'individus en fin de vie qui, n'acceptant pas d'avoir vécu une existence accablante, refusaient de mourir. Ils n'avaient qu'une revendication : l'immortalité ; sans toutefois l'obtenir ; on leur promettait néanmoins de leur accorder la priorité si un jour une telle éventualité devenait envisageable.

Je me souviens d'un vin de bordeaux sans vin ni alcool.

Je me souviens de la vente forcée de produits alimentaires totalement synthétiques élaborés entièrement par des robots.

Je me souviens de la probabilité de fortes inondations qui avait été multipliée par 5 et de la fréquence d'apparition de catastrophes climatiques ramenée à 8 ans au lieu de 40.

Je me souviens d'une réalité intégrale qui avait pour formes : la farce, la parodie et le simulacre.

Je me souviens d'une époque où tout avait été mis en œuvre afin que ceux qui en avaient connue une autre, n'aient qu'un souci : l'oublier au plus vite.

Je me souviens d'un pourcentage toujours croissant d'individus encore vierges après trente cinq ans.

Je me souviens de la réhabilitation de la dictature.

Je me souviens d'une société sans loi ni police puisque tout y était incarné loi et police, à commencer par ses habitants.

Je me souviens de citoyens engagés, lucides et responsables que l'on tentait de faire passer pour des malades mentaux.

Je me souviens d'une augmentation considérable des conversions religieuses suite à une modernisation génératrice de crises d'identité auxquelles les religions seules semblaient capables d'apporter une réponse.

Je me souviens d'une énième dépression économique : la troisième de l'année.

Je me souviens d'enfants qui avaient pour parents des adultes en âge d'être leurs grands-parents, voire parfois même : leurs arrière-grands-parents.

Je me souviens d'ONG venues remplacer des états partout défaillants et agonisants.

Je me souviens de compagnies d'assurance qui couvraient les risques de panne et/ou d'impuissance sexuelles.

Je me souviens que la nostalgie était considérée comme un délit ; la cultiver était sévèrement puni par la loi.

Je me souviens de puissances économiques et financières disposées à tolérer les États-nations à condition que ces derniers renoncent à l'égalité de traitement des citoyens, à l'impartialité des élections et à la liberté de l'information.

Je me souviens d'une langue dont l'appauvrissement avait pour but la restriction au minimum du domaine de la pensée.

Je me souviens d'une politique du chaos servant à re-structurer des environnements géopolitiques ; pour y parvenir, on avait régulièrement recours à la terreur.

Je me souviens d'une domination quasi totale des médias sur l'imaginaire. Il n'était plus question de vivre quoi que ce soit mais simplement de regarder et d'écouter.

Je me souviens d'un homme qui avait transféré sa conscience de soi dans un autre avec l'espoir de repousser toujours plus loin sa mort ; et cet autre, c'était moi.

Je me souviens de l'année où l'on nous annonça que pour la première fois, le nombre d'enfants procréés par insémination artificielle dépassait les naissances naturelles.

Je me souviens que plus de la moitié de ces enfants était sous la tutelle d'institutions para-publiques.

Je me souviens d'êtres humains « artefacts high-tech » qui, n'étant jamais nés et ne pouvant pas mourir, suppliaient les autorités de mettre fin à leur jour.

Je me souviens d'athlètes génétiquement modifiés pour lesquels le dopage génétique était non seulement recommandé mais encouragé.

Je me souviens d'une mesure gouvernementale qui consistait à distribuer des primes aux célibataires les plus diplômés pour qu'ils aient des enfants au détriment des célibataires non diplômés à qui on remettait des primes pour qu'ils n'en aient pas.

Je me souviens d'implants qui, intégrés au corps, permettaient aux Etats et aux entreprises de surveiller tout un chacun.

Je me souviens d'aliments en papier comestible.

Je me souviens d'un robot nommé Sobot équipé de capteurs biométriques qui faisant l'amour à une femme qui le commandait vocalement.

Je me souviens du dépistage obligatoire pour les hommes comme pour les femmes, à vingt ans, du cancer du foie, à trente, du cancer de la vessie, à quarante, du cancer des intestins, à cinquante, celui de l'estomac.

Je me souviens d'individus dits « low-tech » qui appartenaient à une classe aux implants et aux prothèses d'une qualité très inférieure à la norme telle que définie par la communauté scientifique.

Je me souviens que les cancers ne s'étaient jamais aussi bien portés depuis que tout organe détruit pouvait être remplacé (à une ou deux exceptions près) grâce au clonage thérapeutique.

Je me souviens de populations entières qui, affolées, se sont réfugiées dans une addiction à la nourriture saine quasi pathologique.

Je me souviens d'une Europe qui s'étendait du Maroc aux frontières de l'Irak et de la Russie.

Je me souviens d'armes nucléaires, chimiques et génétiques à ce point miniaturisées qu'un homme seul pouvait en faire un usage efficient.

Je me souviens d'unités spéciales appelées « anti-pollution » capables de bafouer en toute impunité les droits les plus élémentaires de l'individu.

Je me souviens que les mots implants, molécules, prothèse, gènes, hormones faisaient partie du vocabulaire de tout un chacun sans distinction de classe ni d'instruction : leur exploitation commerciale était étendue à toutes les économies du monde.

Je me souviens d'une stratégie macromoléculaire et d'une approche neuronale destinées à traquer les désordres comportementaux d'une partie de la population : les plus démunis en particulier.

Je me souviens de cartels, de mafias, de criminels plus puissants que des Etats.

Je me souviens d'une agriculture qui utilisait comme compost des cadavres humains avec l'accord des familles.

Je me souviens de neurotransmetteurs capables de modifier notre perception et notre action.

Je me souviens d'une *crise du temps* qui remit en question les possibilités d'organisation individuelles et collectives.

Je me souviens de la mise sous Viagra de 2 adultes sur 3 âgés de plus de trente ans.

Je me souviens d'un nombre croissant de rebelles contre la société hétérosexuelle ; cette remise en question concernait près de 30% de la population adulte, nous affirmait-on.

Je me souviens de technologies dites « molles » destinées à contrôler de l'intérieur le corps humain – silicone, hormones, molécules, atomes, neurones -, sous la supervision et la coopération des intéressés eux-mêmes.

Je me souviens de villes conçues verticalement : des monolithes de plusieurs centaines d'étages, tous reliés entre eux : on pouvait y vivre et y mourir sans jamais en sortir ; c'était, nous disait-on, autant d'énergie économisée.

Je me souviens de la production commerciale d'embryons destinés à être utilisés comme matériel biologique.

Je me souviens de mon ex. qui se lassa séduire par une offre très alléchante : à chaque embryon produit, un mois de vacances lui était offert dans une destination de son choix.

Je me souviens de pans entiers de la population mondiale considérés comme ni morts ni vivants, car le devenir de ces populations était entre les mains d'une industrie biotechnologique qui n'avait pas encore statué sur le sort.

Je me souviens d'un projet qui consistait à allouer aux individus un droit de polluer sous la forme d'un quota annuel d'émissions de CO_2 ; les plus vertueux étaient en excédent. Quant à ceux qui étaient en déficit, interdiction leur était faite de se déplacer, de s'éclairer et de se chauffer.

Je me souviens de la désintégration du CFC (Chlorofluocarbure) au moyen de lasers.

Je me souviens d'un de mes voisins âgé de 87 ans qui travaillait encore. Faut dire que l'espérance de vie était de 110 ans pour les hommes et 130 ans pour les femmes.

Je me souviens du passage d'une société disciplinaire à une société régie par un pouvoir d'une haute technicité, appelé biopouvoir dont l'autorité et le contrôle s'exerçaient sur et dans le corps même de l'individu jusqu'à le constituer.

Je me souviens de pays qui ont dû choisir entre "*se déplacer* " et "*manger*'" comme ils ne disposaient pas de surfaces agricoles suffisantes pour produire des carburants à base de végétaux.

Je me souviens de crises alimentaires à répétitions liées aux nouvelles technologies génétiques.

Je me souviens de la stimulation artificielle de nuages pour l'apport artificiel de noyaux de condensation.

Je me souviens d'une Europe qui ne représentait plus que 5% de l'activité économique mondiale.

Je me souviens d'une étude qui montrait que deux adultes sur trois vivaient seuls et que 40% des familles étaient mono-parentales.

Je me souviens d'une élection gagnée par un candidat qui avait pour unique slogan : *"Votez pour moi ! Et vous aurez la garantie de 10 ans d'espérance de vie supplémentaire dès la première année de mon élection.* »

Je me souviens d'un monde sans sécurité territoriale, sociale et économique.

Je me souviens d'aliments dans lesquels des nano-capsules contenant des arômes et des substances organiques et inorganiques éclataient lorsqu'on les faisait chauffer ; les aliments pouvaient alors changer de couleurs et de goût.

Je me souviens d'un monde dans lequel tout le savoir disponible doublait tous les six mois.

Je me souviens d'États dits démocratiques seuls autorisés à bafouer les droits de ses citoyens tandis que des États dits non démocratiques n'avaient qu'un devoir : se soumettre.

Je me souviens du triomphe de l'équivalent de la *novlangue* d'Orwell.

Je me souviens que cet événement est passé totalement inaperçu ; et en premier lieu auprès de ceux qui n'avaient pas cessé d'en dénoncer son utilisation insidieuse ; en effet, ces derniers avaient commencé d'en faire usage il y a longtemps déjà, et ce à leur insu.

Je me souviens de parents dont la seule et unique préoccupation était la transmission de leur code génétique : cheveux, regard, yeux...

Je me souviens d'une stérilité qui touchait un adulte sur trois, homme et femme confondus.

Je me souviens du retour du cannibalisme ; des êtres coupés de tout contact physique se jetaient sur leurs semblables dans l'espoir de retrouver et de renouer avec leur humanité perdue, en dévorant la leur.

Je me souviens d'une époque durant laquelle l'imaginaire individuel et collectif fut radicalement bouleversé par la disparition des états et des nations : chez soi, c'était chez tout le monde et *vice versa*.

Je me souviens de papier de riz imprimé avec des encres alimentaires, et qui était composé, au choix, d'arômes de ketchup, d'œufs, de haricots, de toasts, de bacon...

Je me souviens que des nanotechnologies et le génie génétique exerçaient une influence déterminante sur la production de notre alimentation.

Je me souviens de la «mind food» capable lorsqu'on mangeait par exemple des sushis, d'apporter toutes les sensations visuelles et olfactives d'un voyage au japon.

Je me souviens avoir été opéré par un robot d'une précision exceptionnelle ; le chirurgien n'était là que pour reprendre la main en cas de pépin.

Je me souviens de jeux de rôles qui mettaient en scène des dizaines de milliers de personnages dans une intrigue qui n'avait qu'un seul but : contrôler et orienter, à leur issu, la vie, tant mentale que matérielle de joueurs spécialement choisis selon des critères d'âge, d'éducation et de lieu de résidence.

Je me souviens de l'*identification par radiofréquence* (RFID) : il s'agissait d'une puce d'ADN électronique.

Je me souviens de la mise en orbite de milliards de petites lentilles de 60cm de diamètre pour filtrer la lumière solaire.

Je me souviens avoir été sollicité par une entreprise qui souhaitait me vendre en toute légalité, un service de suicide médicalement assisté pour moi ou un membre de ma famille.

Je me souviens avoir été un moment très emballé par leur offre avant de retrouver tous mes esprits *in extremis (faut dire qu'ils sont très très persuasifs)*.

Je me souviens d'une science économique qui ne raisonnait qu'en termes de « puissance d'excitation des consciences ».

Je me souviens d'un système économique entièrement organisé autour de ce concept.

Je me souviens de technologies capables de prendre la forme du corps humain jusqu'à en devenir indissociables.

Je me souviens d'un monde où plus de la moitié de la population avait plus de 60 ans ; et ces individus étaient à la moitié de leur vie seulement.

Je me souviens d'une époque où l'on parlait de corps pan-sexuels ; des corps dits *sans limites* issus des techno- sciences les plus innovantes.

Je me souviens du masquage de la lumière solaire au moyen de 50 000 miroirs de 100km2 installés dans l'espace.

Je me souviens d'aliments dont la consommation avait un effet Botox.

Je me souviens, sur une même période, de terribles sécheresses dans une partie du monde et d'inondations dévastatrices dans une autre, et de leurs conséquences.

Je me souviens que les pays qui avaient le moins contribué à la concentration de CO_2 et au réchauffement de la planète étaient les plus touchés.

Je me souviens de millions d'humains dont la préoccupation majeure concernait non pas l'organisation de leur vie mais celle de leur suicide avec la complicité de l'industrie pharmaceutique et l'indifférence des Etats.

Je me souviens du retrait de toutes les stations spatiales installées sur la Lune – humains, machines et robots compris -, à cause d'une pollution qui rendait leur maintien impossible.

Je me souviens que leur transfert sur Mars fut décidé très peu de temps après.

Je me souviens d'un « *qui décide du choix des mots, décide de la pensée* ».

Je me souviens de l'abolition de la différenciation homme-femme dans le sport de haut-niveau. Les deux « sexes » pouvaient concourir côte à côte.

Je me souviens de l'augmentation exponentielle de l'utilisation de mots qui signifiaient exactement le contraire de ce qu'ils paraissaient vouloir dire.

Je me souviens d'un routard qui fit le tour du monde à pied sans traverser une seule frontière, un seul état, une seule nation ; et d'aucuns ont prétendu : sans même rencontrer un seul être humain.

Je me souviens de drogues légalement distribuées à quiconque souhaitait pour un temps « prendre congé de la réalité ».

Je me souviens d'aliments qui se gardaient indéfiniment. On pouvait donc les acheter sans ne jamais les consommer car, seul l'acte d'achat importait.

Je me souviens d'attaques informatiques pensées comme de véritables actions militaires et considérées comme des actes de guerre.

Je me souviens du retour du romantisme : on se devait de rencontrer réellement son partenaire avant de poursuivre l'expérience par webcams interposées.

Je me souviens d'un énième effondrement économique qui ne nous a laissé qu'un seul choix : l'imposition d'une administration mondiale.

Je me souviens d'une multinationale qui avait thésaurisé ses droits à polluer pour servir un méga-projet polluant.

Je me souviens d'un totalitarisme supranational engendré par un chaos environnemental et social qui recueillait le soutien de la quasi-totalité de l'humanité.

Je me souviens de la généralisation des techniques artificielles de manipulation des climats.

Je me souviens d'une société dans laquelle l'inéluctable réalité de la mort avait été évacuée au profit de l'inéluctable désir de performance biologique.

Je me souviens d'une foi indéfectible dans l'infaillibilité technologique sans laquelle aucune survie n'était possible : il fallait croire ou périr.

Je me souviens d'une tendance dans laquelle la nourriture se rapprochait davantage chaque jour de la prise d'un médicament ; les aliments contenaient des bactéries capables d'éliminer les substances nuisibles grâce à des anticorps spécifiques.

Je me souviens de la disparition du concept d'hétérosexualité ; l'humanité se répartissait alors entre des intersexuels, des transes et des homos.

Je me souviens que 30% de la population des pays riches avaient plus de 80 ans.

Je me souviens d'une mise en examen pour tentative de développement d'une pensée critique.

Je me souviens de la prolifération de réseaux pédophiles : prolifération qui faisait qu'on estimait qu'un enfant sur quatre avait été *approché* par ces réseaux.

Je me souviens d'une idéologie qui prônait la déshumanisation de notre espèce à des fins de lutter contre une épidémie qui menaçait la terre entière : menace qui, néanmoins, disparut d'un coup d'un seul, un beau matin.

Je me souviens qu'il n'y avait, pour bon nombre d'entre nous, aucune époque dite « lointaine » dont on pouvait se souvenir.

Je me souviens d'une économie occupée seulement à produire des désirs, des affects et des organes jusqu'à la tentative d'invention d'un sujet vivant et de sa reproduction à l'échelle globale.

Je me souviens de navires qui faisaient escale dans des ports situés dans l'arctique et l'antarctique suite à la fonte des glaces des pôles Nord et Sud.

Je me souviens d'une classe politique qui ne raisonnait plus qu'en termes de « biotechno - politique générale ».

Je me souviens d'une censure chargée de rendre inobservables et non-représentables des domaines de plus en plus importants de l'existence humaine.

Je me souviens d'une leçon de nature et de vie qui stipulait que le corps n'est pas fait d'eau à 50% mais d'implants.

Je me souviens du financement de centaines de programmes scientifiques de recherches destinés à « calculer l'être à venir » pour mieux le formater pour la demande précise qui en serait faite.

Je me souviens d'une humanité dont l'avenir était soumis aux outils de laborantins qui travaillaient pour le compte d'une industrie instigatrice d'une instrumentalisation de la vie humaine.

Je me souviens du *principe de domination du plus rapide* pour la conquête du pouvoir politique et militaire grâce à sa supériorité technique.

Je me souviens du rétablissement de la peine de mort par pendaison et de sa retransmission sur des écrans géants et dans tous les médias.

Je me souviens du nombre croissant d'interruptions volontaires de vie des plus de 110 ans à faible revenu.

Je me souviens de la menace de l'arrivée imminente d'une nouvelle violence : tout le monde serait la cible de tout le monde dans une dé-construction générale des nations et des continents.

Je me souviens avoir longtemps attendu son arrivée, fin prêt, paré à tout, sans jamais lui faire face, même de dos.

Je me souviens d'un monde dans lequel rien ne se perdait : 70% des déchets étaient recyclés ; c'est toute l'activité humaine qui passait et repassait en boucle par les mêmes canaux, de poubelle en poubelle.

Je me souviens que chaque foyer était dans l'obligation de consacrer une heure par jour au tri de ses propres déchets.

Je me souviens que ce qui s'appelait encore Internet était à lui tout seul un septième continent ; le continent dit *de l'espace* n'arrivait lui qu'en huitième position.

Je me souviens de senseurs intégrés au corps humain qui étaient capables d'identifier tous les manques, qu'ils soient affectifs ou matériels.

Je me souviens d'une agence de voyages qui, sans rire, promettait à ses clients d'arriver avant d'être partis.

Je me souviens de la compression de l'espace-temps jusqu'à l'annihilation de l'un et de l'autre : on n'habitait alors plus aucun lieu ; aujourd'hui c'était hier ; il n'y avait ni passé ni futur.

Je me souviens de millions d'individus pour lesquels une seule question se posait avec une acuité sans précédent, suite à une pratique scientifique illégale : avait-il pour géniteur et ascendant un père, un frère, une mère, une sœur, ou bien un singe ?

Je me souviens du syndrome PVV : perte de la volonté de vivre. Des millions d'individus se couchaient le soir et ne se réveillaient pas le lendemain ; ce syndrome concernait en majorité les personnes âgées appartenant aux classes les plus déshéritées.

Je me souviens d'un monde ingérable et hors de portée, même auprès des plus puissants.

Je me souviens de corps humains truffés d'électronique, de caméras miniatures, de bio-marqueurs, de nano moteurs, réduisant le rôle des médecins à celui de dépanneurs, et les spécialistes à de simples ingénieurs conseils en nouvelles technologies.

Je me souviens d'un monde dans lequel 25% de la production mondiale de l'industrie et des services provenaient d'activités criminelles.

Je me souviens de dizaines de millions d'individus sans ancrage historique ou de lieu s'adonnant à la violence, l'alcoolisme avant de se suicider.

Je me souviens d'individus faisant l'objet d'une interdiction de clonage ; les autorités les ayant jugés trop instables, et par conséquent : indésirables.

Je me souviens de morts inextricablement liés à la vie : tout leur patrimoine génétique passait chez les vivants.

Je me souviens de vastes Etats-régions totalitaires érigés en modèles de succès économique et d'efficacité écologique.

Je me souviens d'un corps humain considéré comme une source d'énergie recyclable.

Je me souviens d'une offre d'immortalité qui consistait à télécharger le cerveau d'un humain sur le disque dur d'un ordinateur…

*Le monde s'est durci.
Comme de la pierre, je
l'appréhende.*

*Le temps n'aura pas
pitié de nous, ni les événements.*

*Nouveau cataclysme. Choc.
Traumatisme.*

*Des milliards partis en
fumée. Dominos entraînés d'un coup de
pichenette en quelques jours.*

Gigantesques dépréciations du système globalisé.

Sa déliquescence est à son paroxysme, et aucun plan d'actions concertées n'en viendra à bout...

Ici, pour moi, c'est le trou noir…

Je ne peux plus nommer la réalité. Tout est indicible, car le réel s'est effacé ; les peuples, les visages, les images, les objets, les gens sont maintenant dépouillés de toute culture, de toute histoire.

Retrouver dans la mémoire collective qui dévore tout, étouffante, ma propre mémoire, mon vécu, unique, loin de la rumeur de cette masse de discours flottants ?

Sortir du monde ? Mais comment ?

Horizon mouvant, tonalité uniforme. Je me fonds dans une totalité indistincte et privée de conscience critique. Si j'essaie de recenser les choses survenues à l'intérieur de moi, je ne vois que le dehors, un surgissement d'événements indissociables d'un collectif, une succession de non-désirs comblés avant même qu'ils ne se soient manifestés, une histoire pas plus tard qu'hier mais déjà lointaine, des détails oubliés, un vague questionnement irrésolu comme un sentiment indéfinissable, un dégoût de la servitude et de l'obéissance.

Qui peut bien encore avoir envie de savoir pourquoi nous sommes là et d'où l'on vient et où l'on va, qui nous mène et dans quel but ? Qui a encore soif de comprendre l'ordre sous-jacent au monde que nous habitons ? Chevillée à quelle humanité ce monde ?

Stalactite, immobile, reposant sur la tête, je tourne sans fin autour d'un centre qui tourne à son tour autour d'un immense rassemblement de forces centrifuges. Dans ce stalag universalisé, des loups me guettent hilares. Ma conscience est dilatée. Que suis-je encore capable de me représenter ? Je n'ai plus envie de connaître la nouvelle forme qui me sera proposée ; énième mutation pour une énième adaptation.

Mais alors… que l'on me donne donc l'autorisation de me soustraire !

***

J'attends que tout s'arrête : le monde, la vie, les hommes. J'attends que tout s'écroule, que tout s'effondre pour que nous n'ayons plus à vivre ce que l'on nous fait vivre : les files d'attente la haine au ventre, les outrages, les mensonges, la laideur, les trahisons...

J'attends, mon ordinateur de poche d'une main, la télécommande d'implants de l'autre, que le processus de mémoire et d'oubli soit pris en charge par de nouvelles machines savante.

J'imagine déjà un conflit gigantesque ; et seules les bactéries survivront. Sang, larmes, corps calcinés, fer tordu, bâtiments éventrés. Des mondes révolus tombent de leurs propres ruines comme *on se fait dessus.*

J'attends le dernier tremblement de terre, la dernière catastrophe technologique et écologique.

J'attends que les égouts remontent avant de redescendre gorgés de cadavres après des pluies diluviennes.

J'attends un incendie d'une beauté telle qu'on n'aura nulle envie de l'éteindre ; un incendie qui contribuera dans des proportions gigantesques au chaos général qui déjà sévit partout.

J'attends, virus en tête, les prochaines "bavures" des nouvelles armes bactériologiques...

J'attends une grande catastrophe ; que des murs s'affaissent sous les secousses d'un ultime tremblement de terre.

J'attends l'achèvement de la liquidation du monde et que tous périssent avec moi.

J'attends enfin que l'avenir se venge…

Mais…

Dis-moi ! *Quand te reverrai-je ? Quand et où ? Après l'orage, les éclairs et la foudre ?*

Tu sais, je ne cesse de penser à toi et à nos retrouvailles ; il me tarde de te serrer tout contre moi, de te prendre dans mes bras pour une longue étreinte, une étreinte folle et un peu ridicule : celle des êtres qui, durant de longs mois, en ont été privés.

Bientôt, ils vont se décider à m'apporter le philtre magique, celui qui précipitera nos retrouvailles. Je n'ai qu'une hâte : te retrouver intacte comme au premier jour. J'aurais aimé le faire plus tôt mais tu sais, ici, on ne décide plus de rien.

Tu es partie si vite. Je n'ai pas pu te dire toutes les choses que je souhaitais ; tout ce qu'on doit dire quand un être qui nous est cher est sur le point de nous quitter ; quand on sait qu'on n'aura pas une seconde chance de le dire, et quand on n'y peut plus rien : dire qu'on est désolé et qu'on aurait aimé que ça se passe autrement, et qu'on aurait aimé donner plus et même... qu'on aurait aimé... tout donner si seulement on avait été un peu plus généreux et disponible.

Oui, tout dire ! Et puis, se taire : taire notre révolte. Je suis sûr que j'aurais su trouver les mots. Je sais que j'aurais su te parler, te soulager, t'apaiser, t'aider aussi. Dans ces moments-là, on trouve toujours les mots qu'il faut… ou bien alors, je me serais tu mais… on se serait longuement regardés, silencieux, toi à mes côtés, serrée tout contre moi et moi, te soutenant…

Tu verras qu'à mon retour, tout changera, et plus rien ne sera jamais plus comme avant car, on ne se souviendra plus de rien. Jamais !

Je suis prêt. Je rentre à la maison car, mon foyer, c'est toi. Je sors de la vie pour mieux rentrer chez moi. Déjà, tu m'ouvres tes bras et tu déploies tes ailes au-dessus de moi.

Et c'est alors que l'être humain qui est encore en moi, se rapprochera de toi pour renouer le contact avec tout ce qui est humain, et qui fait de moi à nouveau un être humain…

Printed in Great Britain
by Amazon

31417129R00066